초등 수학  성

교과특강

7세~초1

P3

길이와 무게

에듀히어로

Edu HERO

"진짜 히어로는 우리 아이들입니다!"

에듀히어로는
우리 아이들이 밝고 건강한 내일을 꿈꿀 수 있도록
긍정적이고 효과적인 교육 서비스를 제공하는 것을
최우선 목표로 하고 있습니다.

그 존재만으로도 든든한 히어로처럼 아이들의 곁에서 힘이 되어주고,
나아가 아이들 각자가 스스로의 인생 속 히어로가 될 수 있도록

우리는 진심과 열정을 다해 아이들과 함께 할 것을 약속 드립니다.

네이버 카페

교재 상세 소개와 진단 테스트 및 유용하게 풀 수 있는 학습 자료를 다운로드 해 보세요.

인스타그램

에듀히어로 인스타그램을 팔로우하시면 다양한 이벤트와 신간 소식을 빠르게 만나보실 수 있습니다.

카카오톡 채널

자녀 수학 공부 상담 및 자유로운 질문을 남겨 주세요. 함께 고민하고 답변해 드리겠습니다.

히어로컨텐츠 HEROCONTENS

발행일: 2022년 12월 **발행인**: 이예찬

기획개발: 두줄수학연구소

디자인: 4BD STUDIO **삽화**: 1000DAY

발행처: 히어로컨텐츠

주소: 서울특별시 금천구 서부샛길 632, 7층(대륭테크노타운5차)

전화: 02-862-2220 **팩스**: 02-862-2227

지원카페: cafe.naver.com/eduherocafe **인스타그램**: @edu__hero **카카오톡**: 에듀히어로

초등 수학 핵심파트 집중 완성 교과특강

수학을 잘 하기 위해서는 1) 수와 연산 2) 도형 3) 측정 4) 규칙성 5) 자료와 가능성 등 초등 수학 5대 학습 영역을 고르게 학습해야 합니다.

다른 교과 과목에 비해 많은 시간을 수학을 학습하는 데 할애하고 있지만 아쉽게도 대부분은 연산 영역에 편중되어 있습니다.

최근 들어 '도형' 등 연산 이외의 다른 영역으로 학습을 확장하는 교재들이 출간되고 있지만 여전히 학년별로 다양한 학습 영역과 필수 주제를 체계적으로 안내해 주는 학습지는 많지 않은 것이 현실입니다.

그런 이유로 교과특강은 학년별 필수 주제를 기본 개념부터 응용, 사고력까지 충분하게 학습하고 훈련할 수 있도록 개발되었습니다

수학을 잘 하고 싶은 학생들에게 노력한 만큼의 성장을 이루어내는 데 교과특강은 좋은 토양과 밑거름이 되어줄 것입니다.

초등 수학 핵심파트 집중 완성 교과특강은

1. '자료 해석 능력'을 집중적으로 키웁니다.

앞으로의 학습은 주어진 표과 그래프를 보고 그 의미를 해석하고 추론하는 '자료 해석 능력'을 요구합니다. 실제로 초등 전학년 뿐만 아니라 중등 과정에서도 '자료 해석'은 학습자의 문제해결력을 확인하는 중요한 소재가 되고 있습니다. 다양한 표와 그래프를 이해하고 해석하는 학습은 초등 과정부터 미리 준비하고 집중적으로 훈련할 필요가 있습니다.

2. '측정', '규칙성' 등 필수 영역임에도 쉽게 지나칠 수 있는 주제를 체계적으로 학습합니다.

길이, 무게, 시간, 어림하기 등 초등 과정에서 쉽게 지나치기 쉬운 '측정'과 추론 능력을 길러주는 '규칙성'을 집중적으로 학습합니다.

3. 복습과 예습으로 학년과 학년 사이의 징검다리 역할을 합니다.

1학년에서 2하년, 2학년에서 3학년, 3학년에서 4학년 등 학년이 올라갈수록 특징 영역에서 수학이 갑사기 어려워지는 순간이 옵니다. 교과특강은 각 학년에서 반드시 짚고 넘어가야 하는 주제를 복습하면서 다음 학년을 위한 예습까지 할 수 있도록 개발되었습니다.

4. 문제해결력과 사고력을 길러줍니다.

기본적인 개념을 바탕으로 이를 응용하고 활용하는 문제해결력과 생각하는 힘을 길러줍니다.

초등 수학 핵심파트 집중 완성 **교과특강**은

7세부터 6학년까지 총 7단계 21권(단계별 3권)으로 구성되어 있으며 각 권은 하루에 1장씩 주 5회, 총 4주간 체계적으로 학습할 수 있습니다.

매주 5일차의 학습이 끝난 뒤엔 '생각더하기'를 통해 창의력과 사고력을 기르고, 4주의 학습이 끝난 뒤엔 '링크'와 '형성평가'로 관련 주제를 학습하고 교과 수학을 완성할 수 있습니다.

대 상	단 계	구 성
7세 ~ 1학년	P	P1, P2, P3
1학년	A	A1, A2, A3
2학년	B	B1, B2, B3
3학년	C	C1, C2, C3
4학년	D	D1, D2, D3
5학년	E	E1, E2, E3
6학년	F	F1, F2, F3

<교과 수학 시리즈 P단계 로드맵>

에듀히어로의 교과 수학 시리즈를 체계적으로 학습하기 위한 로드맵입니다.

예습을 하며 집중적으로 학습하려면 '영역별 집중 학습'을,

교과서 진도에 맞추어 학습하려면 '교과 진도 맞춤 학습'을 권장드립니다.

[영역별 집중 학습]

1월	2월	3월	4월	5월	6월
교과연산 P0, 교과도형 P1	교과연산 P1, 교과도형 P2	교과연산 P2, 교과도형 P3	교과연산 P3, 교과특강 P1	교과특강 P2	교과특강 P3

[교과 진도 맞춤 학습]

1월	2월	3월	4월	5월	6월	7월	8월	9월	10월
교과연산 P0	교과도형 P1	교과연산 P1	교과도형 P2	교과연산 P2	교과도형 P3	교과연산 P3	교과특강 P1	교과특강 P2	교과특강 P3

교과특강은 교과 수학을 완성합니다.

주제별 학습

생각더하기

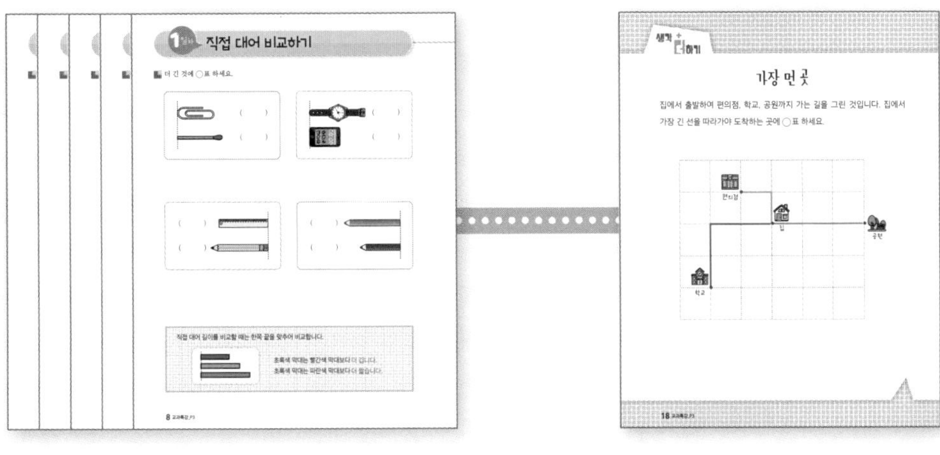

초등 수학을 주제별로 집중 학습합니다. 각 주차의 마지막에 있는 **생각더하기**로 문제해결력을 기릅니다.

링크

LINK 1 보이는 막대

길이가 같은 막대 2개를 땅에 꽂았습니다. 땅 위에 보이는 부분의 길이가 더 긴 막대에 ◯표 하세요.

( ) ( )

길이가 같은 막대를 땅에 서로 다른 깊이로 꽂습니다. 이때, 땅 위에 보이는 부분의 길이로 땅 속의 보이지 않는 부분의 길이를 비교할 수 있습니다.

보이는 부분은 ㉠ 막대가 ㉡ 막대보다 더 깁니다.
보이지 않는 부분은 ㉡ 막대가 ㉠ 막대보다 더 깁니다.

56 교과특강_P3

주제별 학습과 연결하여 사고력과 창의력을 향상시킬 수 있는 내용을 학습합니다.

형성평가

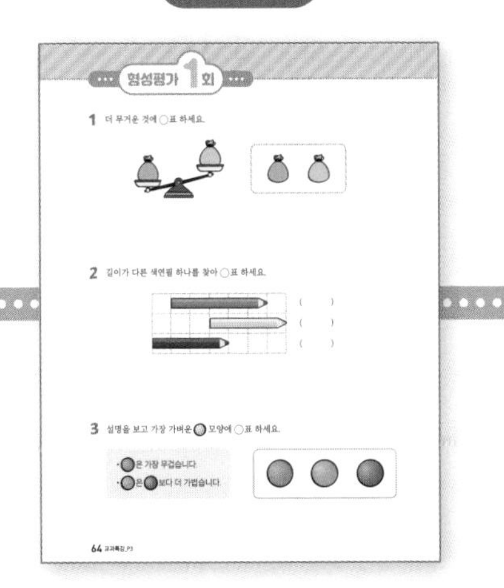

2회의 형성평가로 배운 내용을 잘 알고 있는지 확인합니다.

이 책의 차례

1 주차

길이 비교

1일차 직접 대어 비교하기

더 긴 것에 ◯표 하세요.

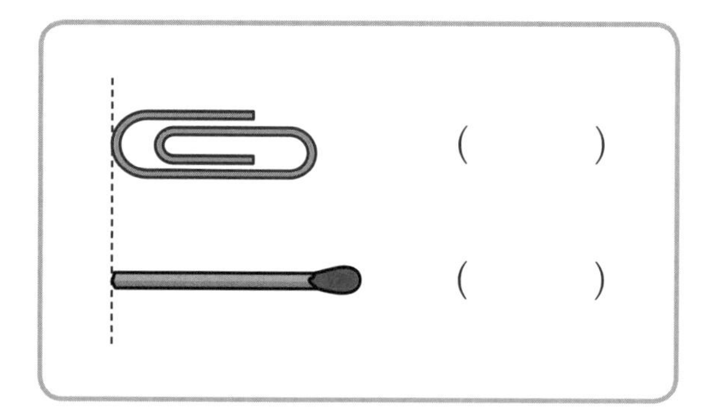

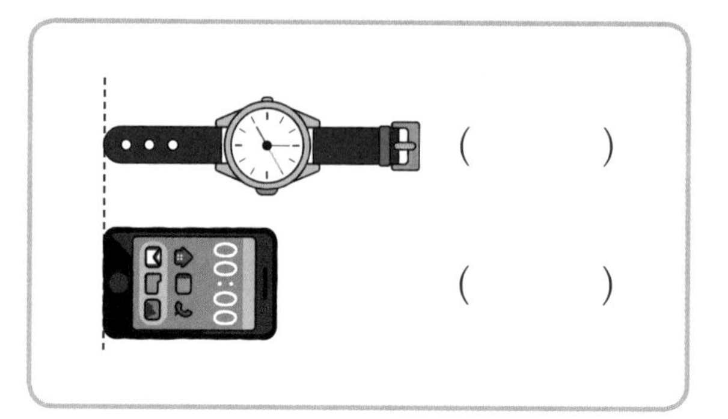

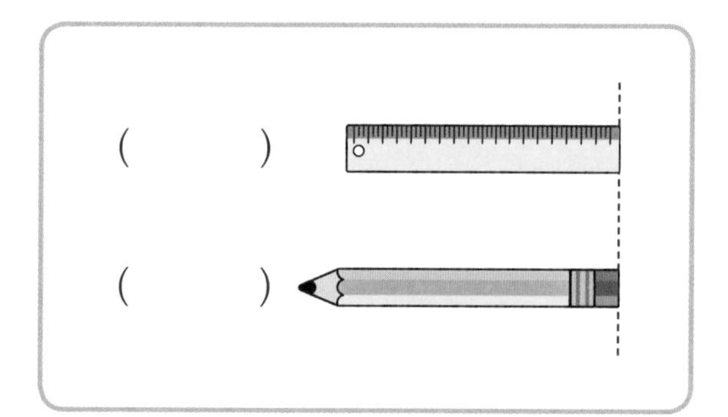

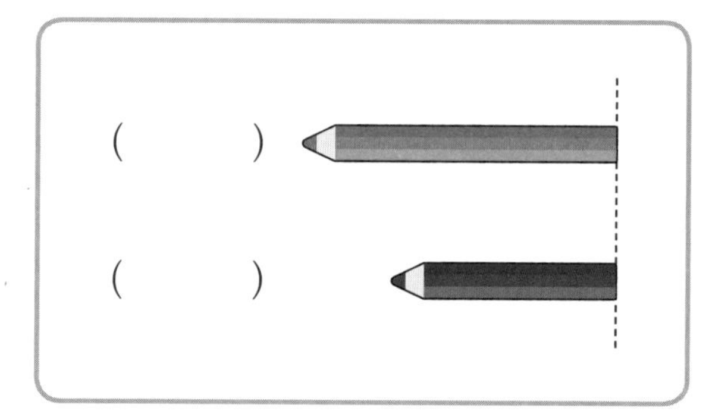

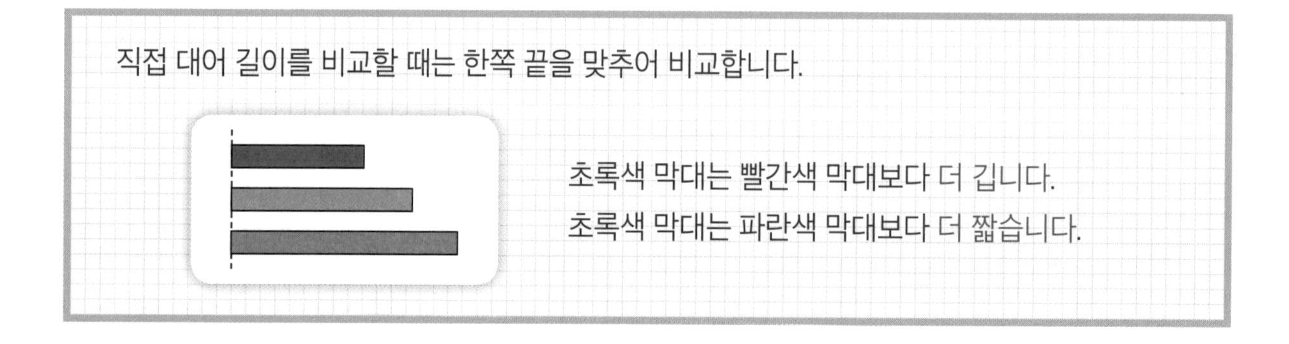

직접 대어 길이를 비교할 때는 한쪽 끝을 맞추어 비교합니다.
초록색 막대는 빨간색 막대보다 더 깁니다.
초록색 막대는 파란색 막대보다 더 짧습니다.

가장 긴 것에 ◯표, 가장 짧은 것에 △표 하세요.

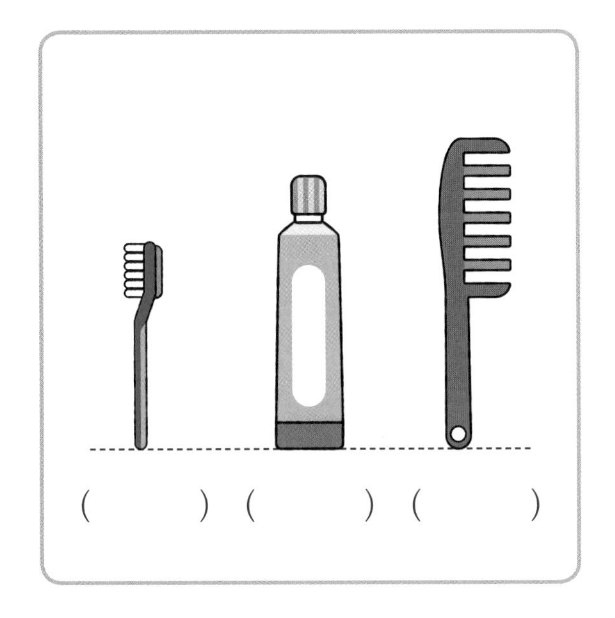

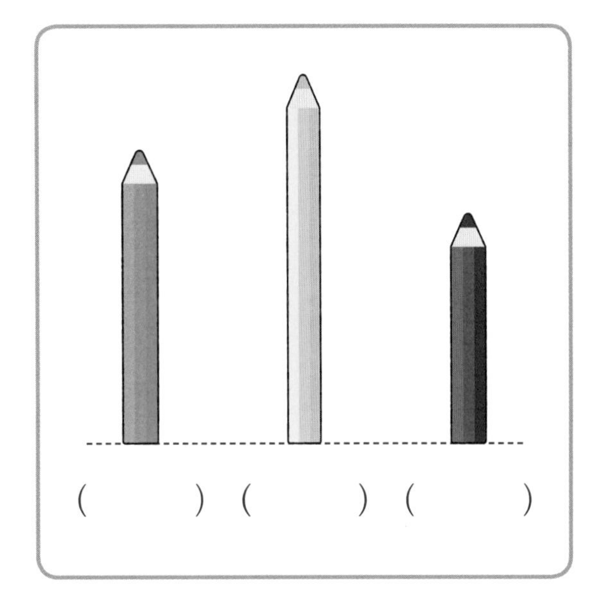

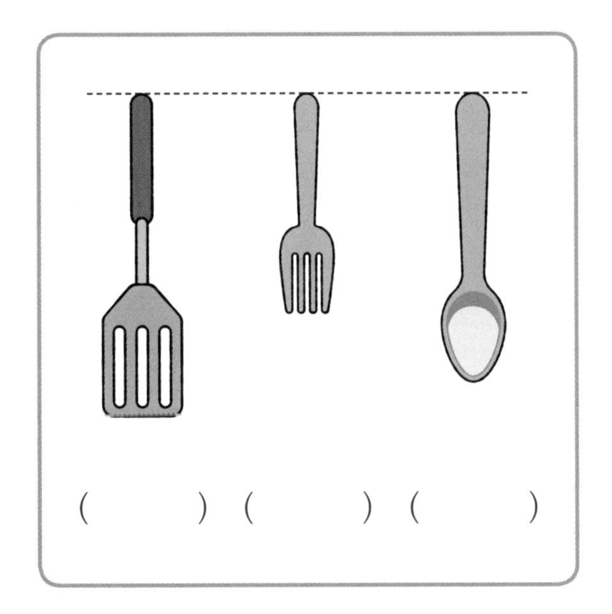

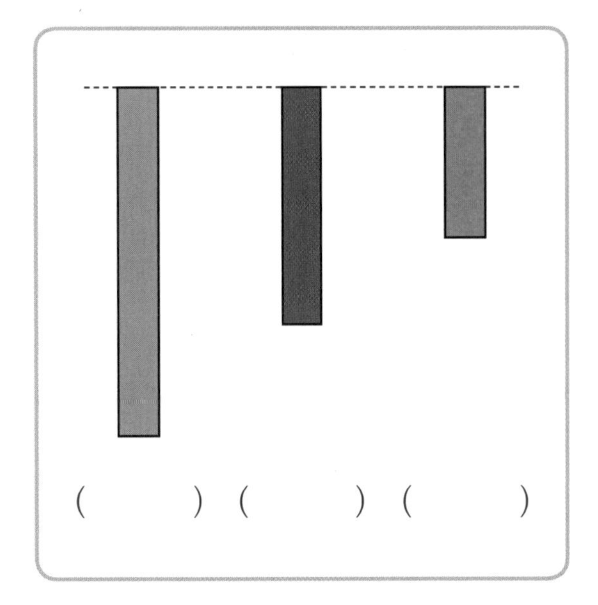

2일차 긴 막대 이용하기

더 긴 막대에 ○표 하세요.

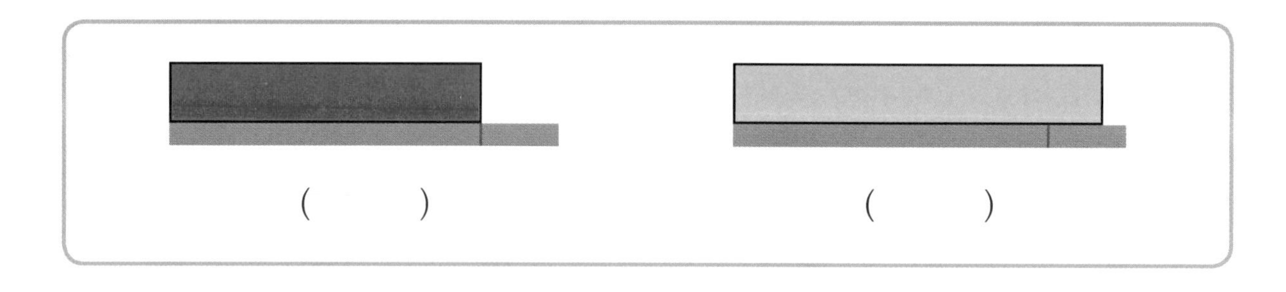

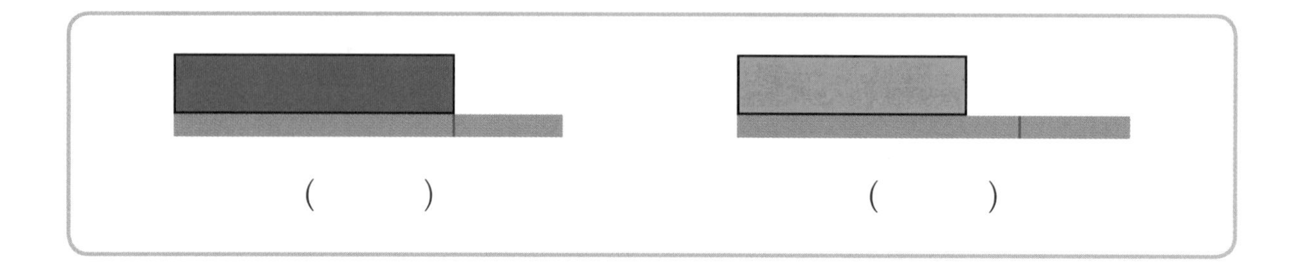

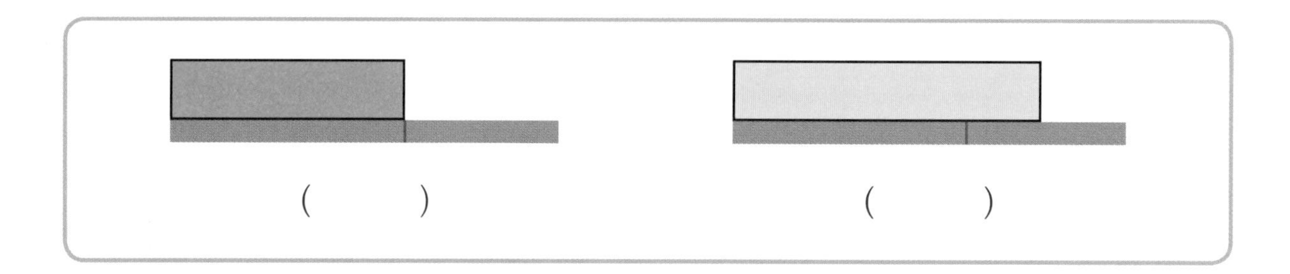

직접 대어 비교할 수 없을 때는 긴 막대, 끈 등의 도구를 이용하여 간접 비교할 수 있습니다.

빨간색 막대의 길이만큼 긴 막대에 표시하고, 그 막대를 초록색 막대에 대어 보면 초록색 막대가 빨간색 막대보다 더 긴 것을 알 수 있습니다.

길이가 가장 긴 막대부터 차례로 번호를 써 보세요.

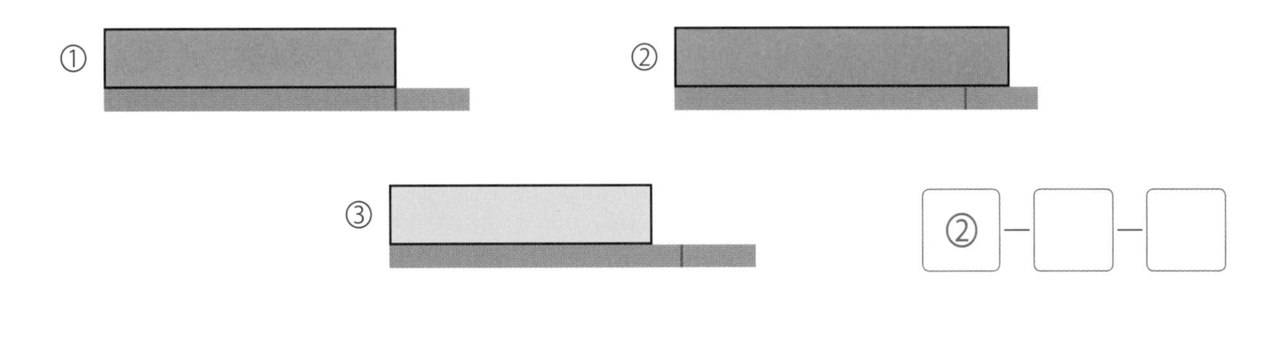

① ② ③

– –

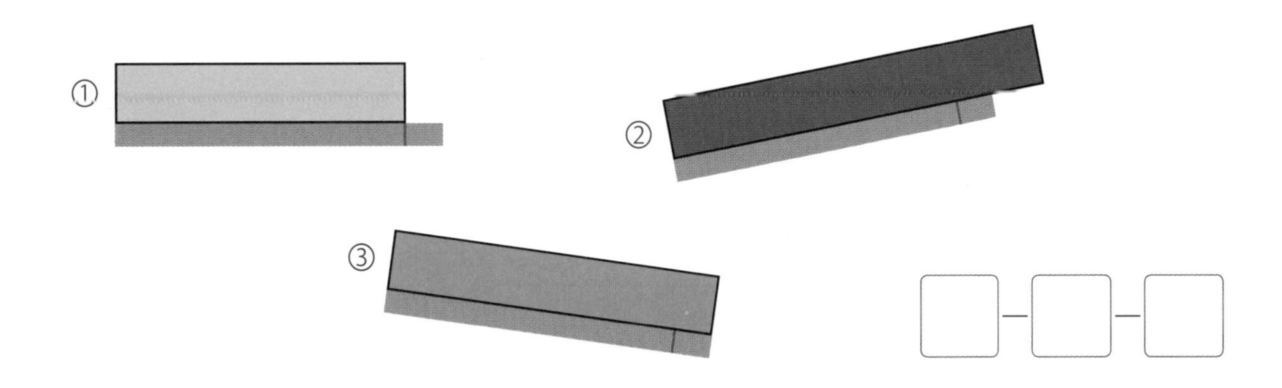

3일차 세어 비교하기 (1)

더 긴 색연필에 ○표 하세요.

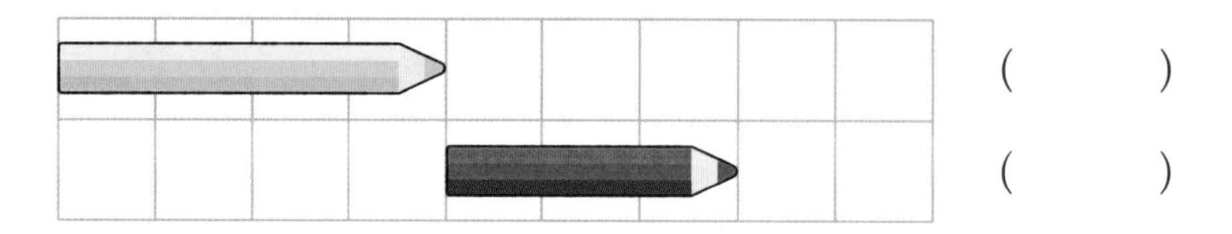

( )

( )

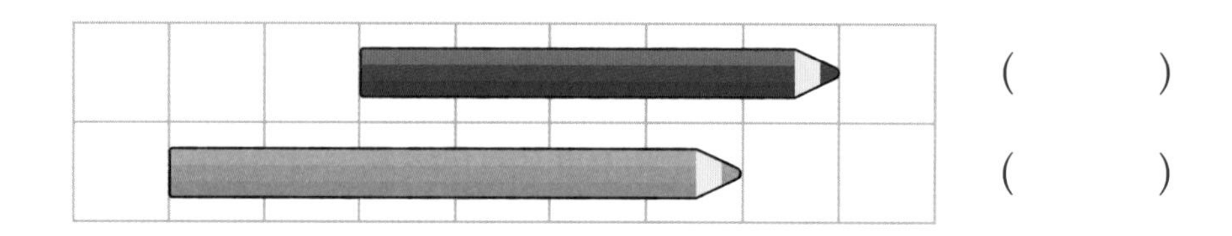

( )

( )

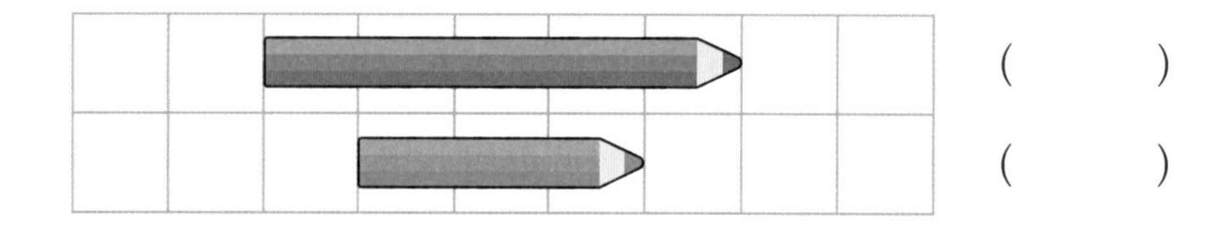

( )

( )

끝을 맞추어 비교할 수 없을 때는 작은 단위의 수를 세어 길이를 비교할 수 있습니다.

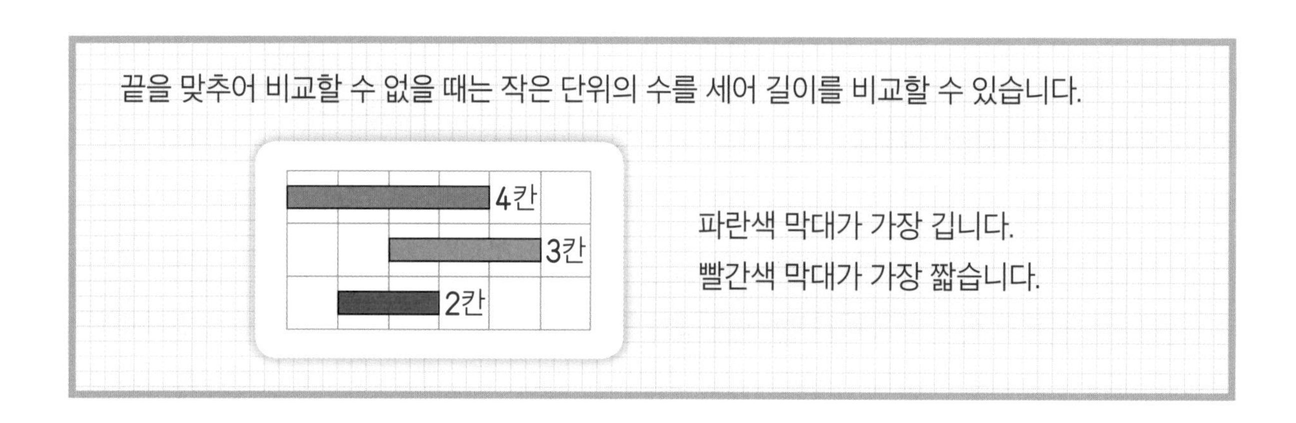

파란색 막대가 가장 깁니다.
빨간색 막대가 가장 짧습니다.

가장 긴 막대부터 차례로 번호를 써 보세요.

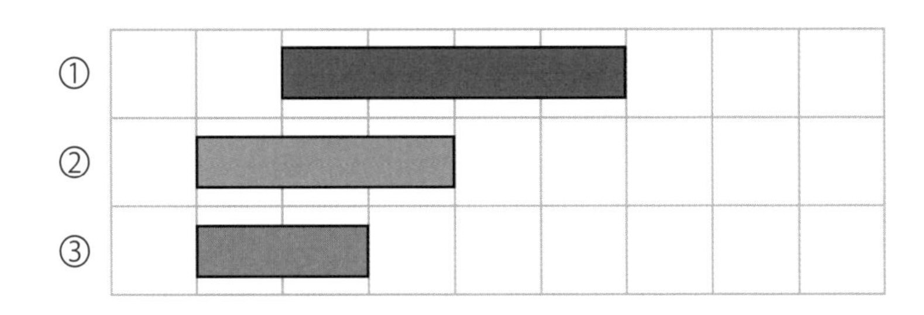

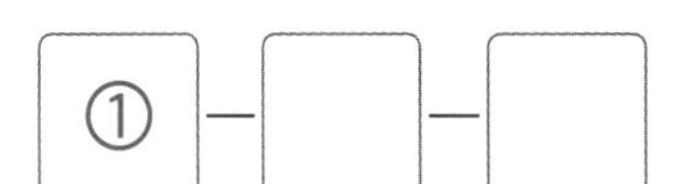

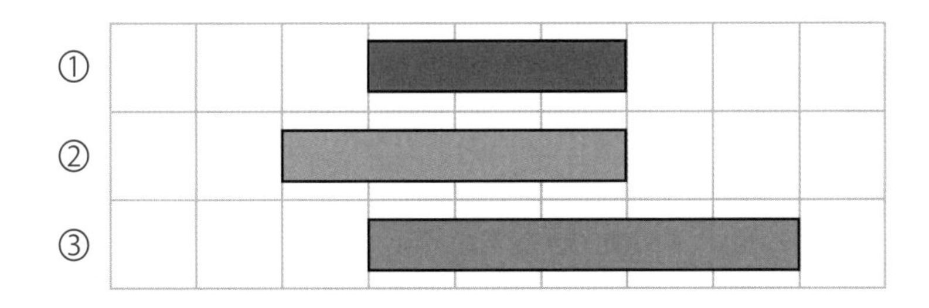

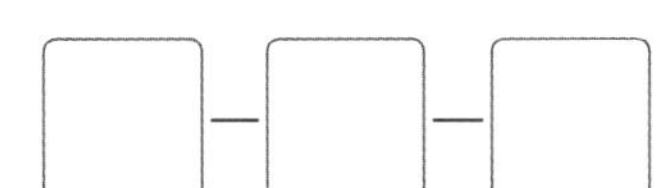

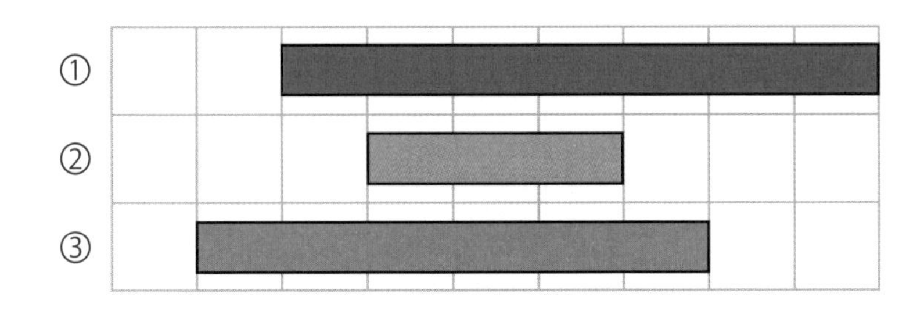

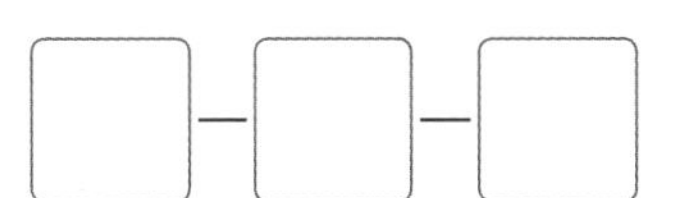

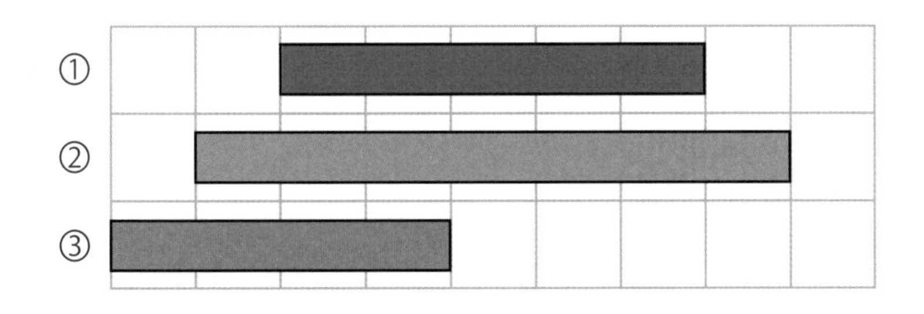

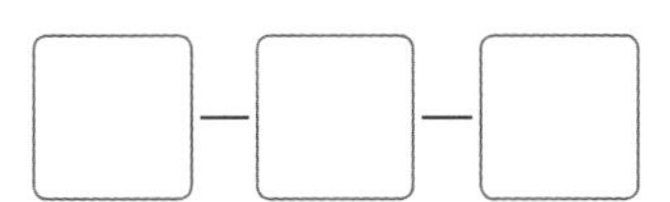

4일차 세어 비교하기 (2)

물음에 답하세요.

순가락과 국자 중 길이가 더 긴 것은 무엇일까요?

숟가락 국자

( )

붓과 자 중 길이가 더 짧은 것은 무엇일까요?

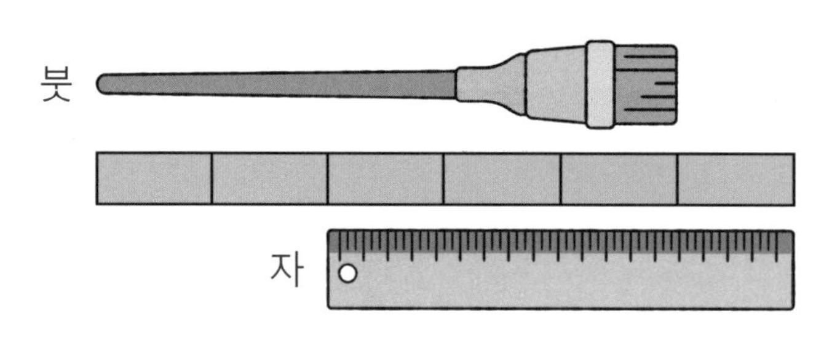

( )

물음에 답하세요.

길이가 가장 긴 색연필에 ○표, 가장 짧은 색연필에 △표 하세요.

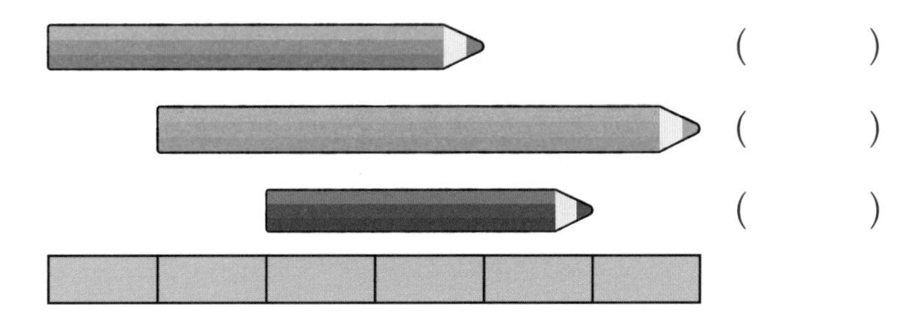

( )

( )

( )

길이가 나머지와 다른 색연필에 ○표 하세요.

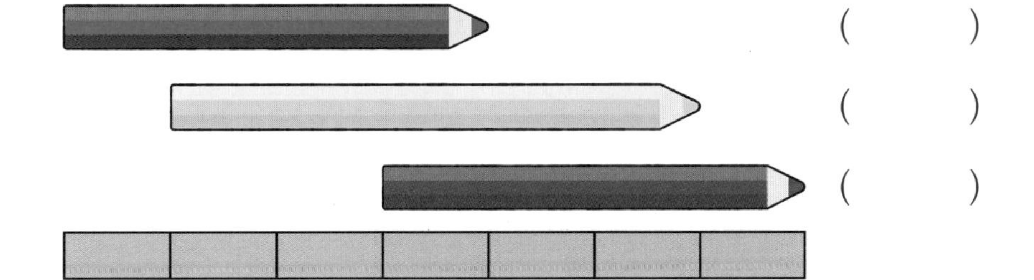

( )

( )

( )

5일차 길이가 같은 막대

위와 아래에서 길이가 같은 막대끼리 같은 색깔로 색칠해 보세요.

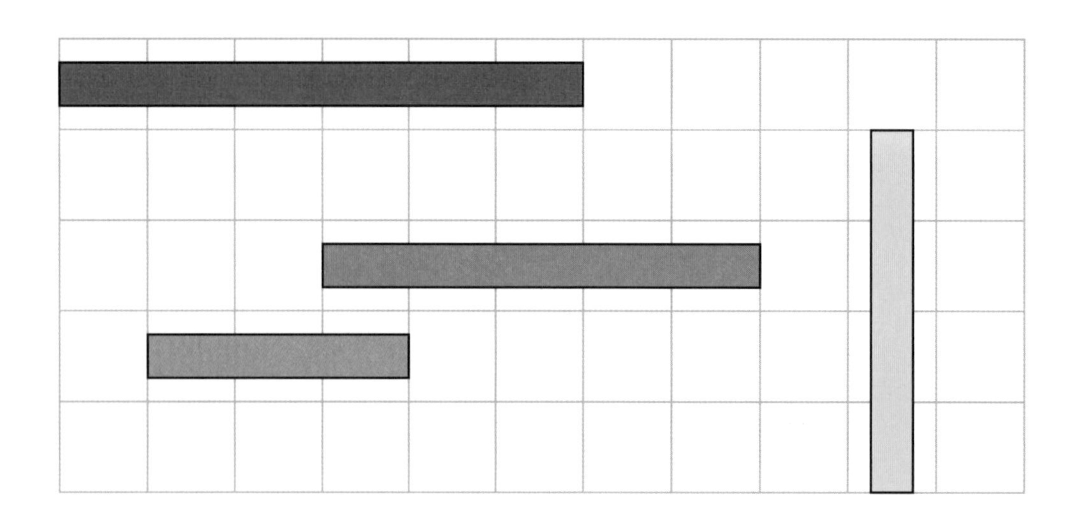

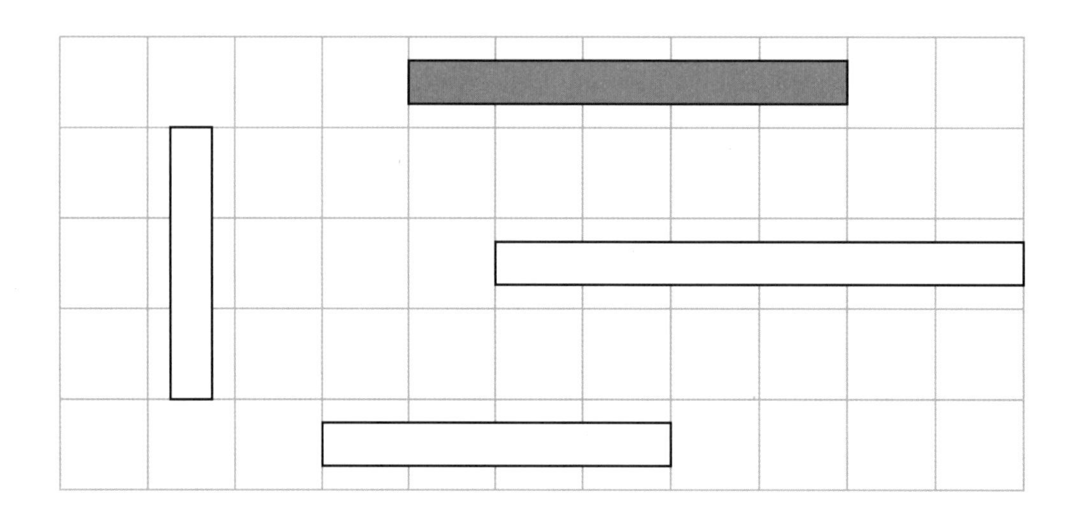

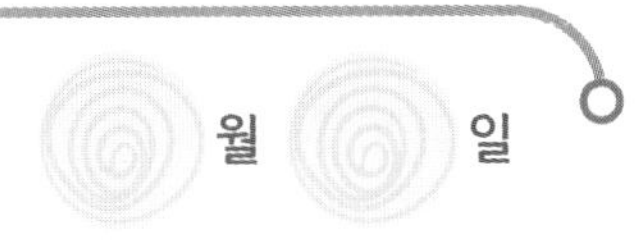

위와 아래에서 길이가 같은 막대끼리 같은 색깔로 색칠해 보세요.

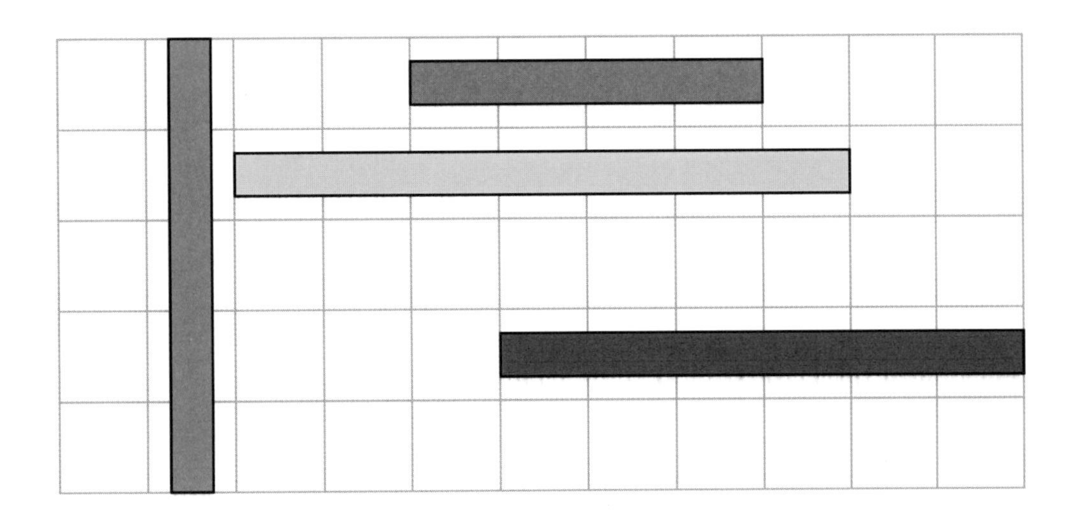

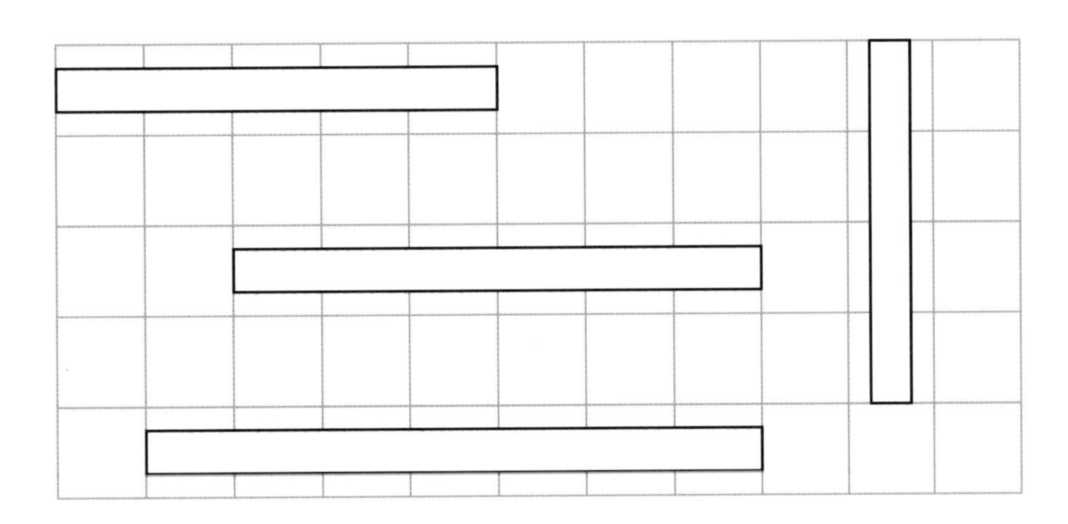

가장 먼 곳

집에서 출발하여 편의점, 학교, 공원까지 가는 길을 그린 것입니다. 집에서 가장 긴 선을 따라가야 도착하는 곳에 ◯표 하세요.

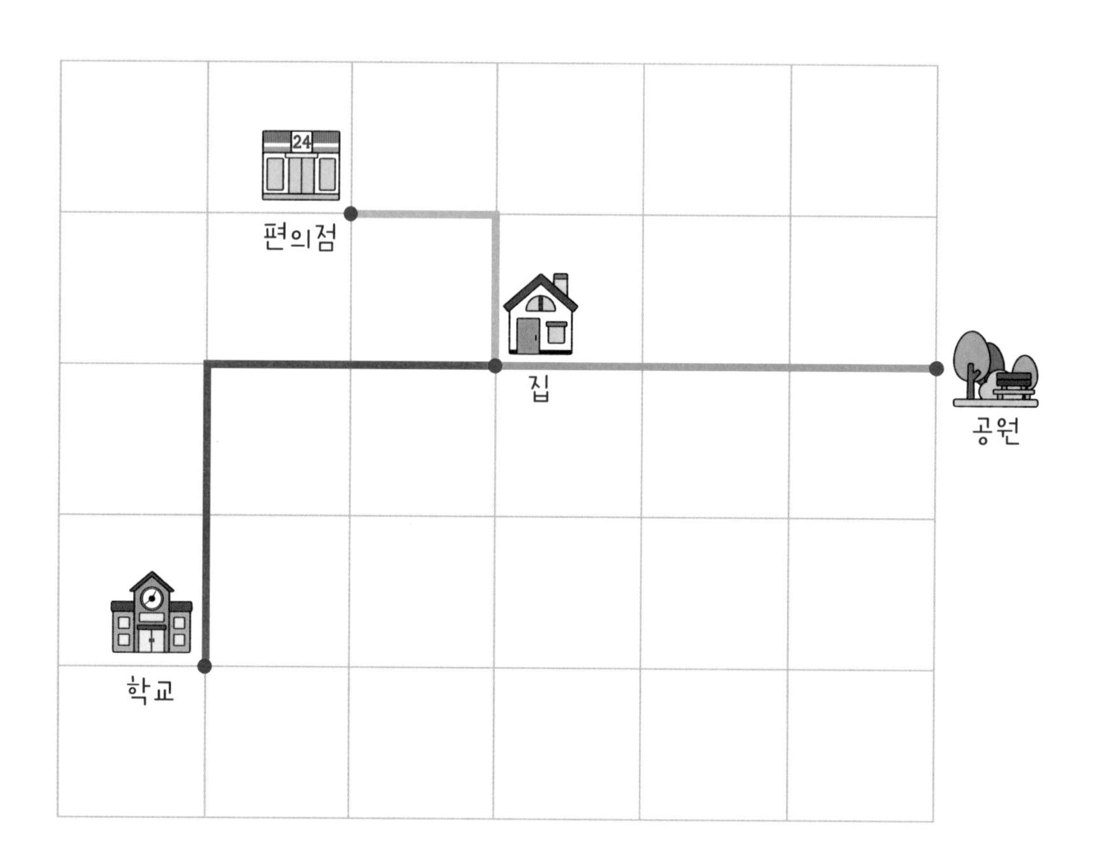

2 주차

3가지 길이

1일차 막대 그리기

초록색 막대보다 더 짧은 막대와 더 긴 막대를 각각 그려 보세요. (막대의 한쪽 끝을 점선에 맞추어 그립니다.)

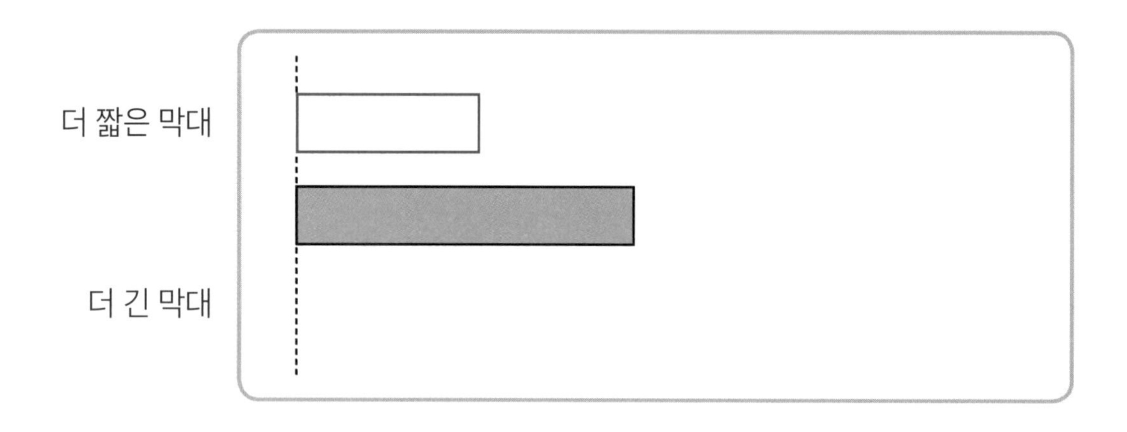

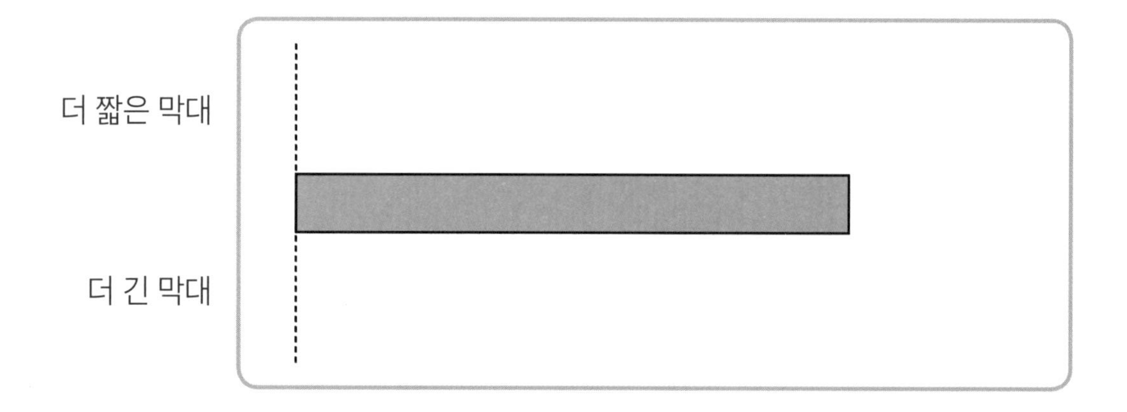

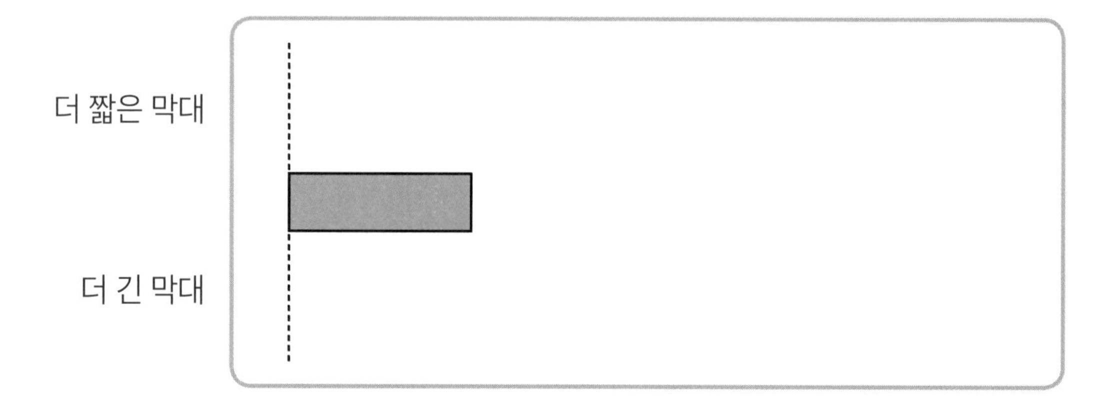

빨간색 막대보다 더 길고 파란색 막대보다 더 짧은 막대를 그려 보세요. (막대의 한쪽 끝을 점선에 맞추어 그립니다.)

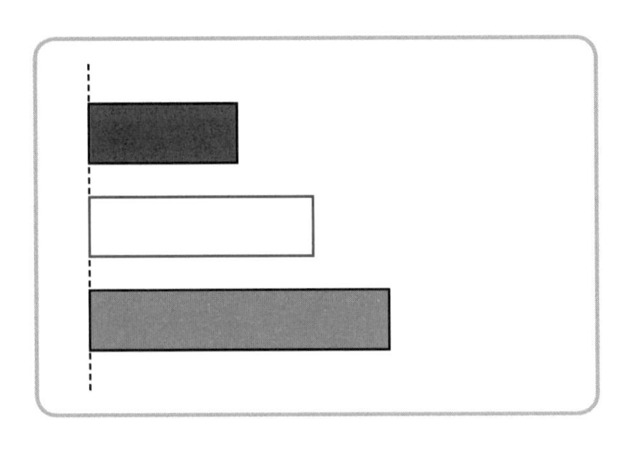

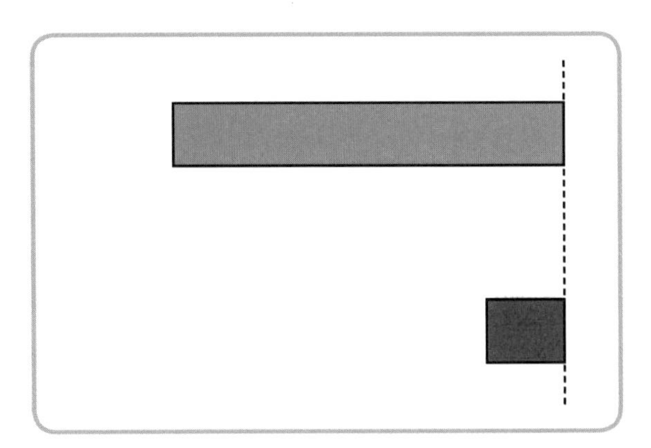

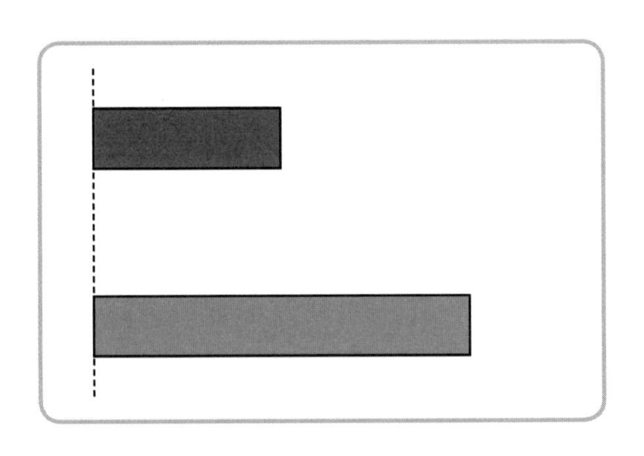

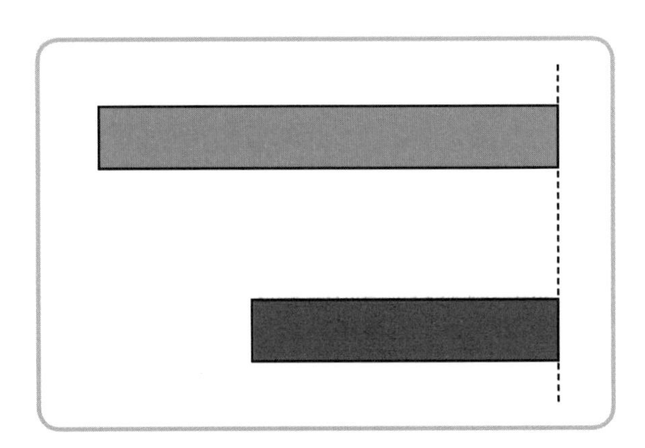

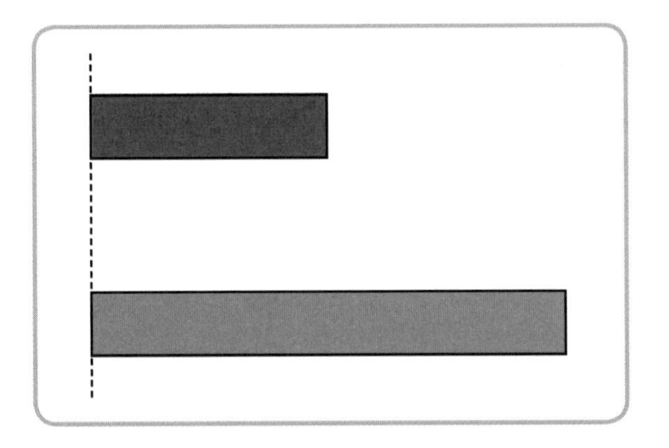

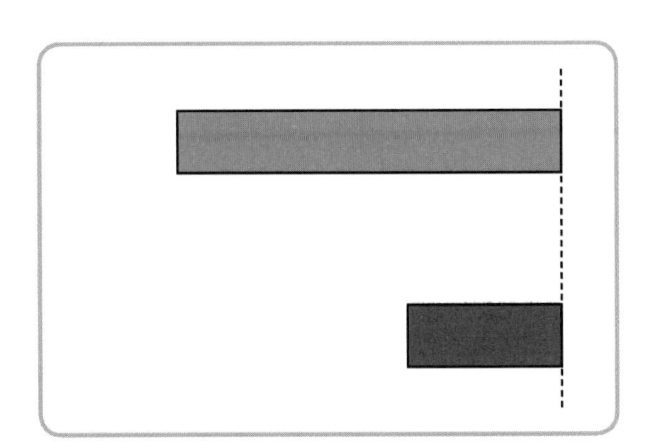

2일차 3가지 길이

빈칸에 알맞은 말을 써넣으세요.

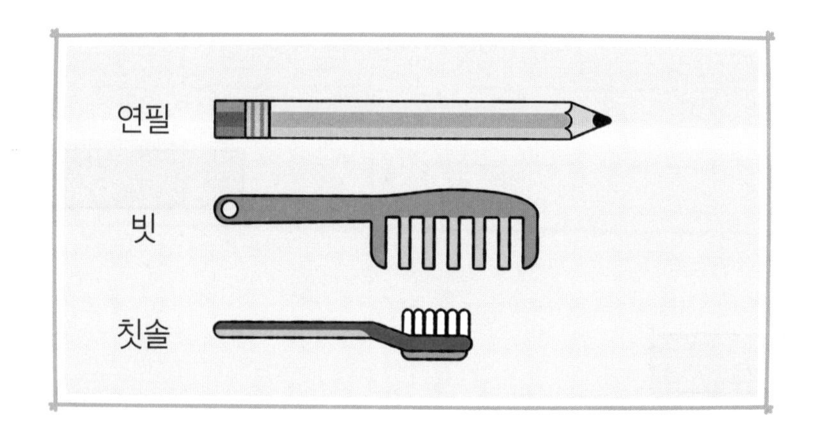

빗은 [ ] 보다 더 길고 [ ] 보다 더 짧습니다.

연필과 칫솔 중 더 긴 것은 [ ] 입니다.

젓가락은 [ ] 보다 더 길고 [ ] 보다 더 짧습니다.

국자와 포크 중 더 짧은 것은 [ ] 입니다.

알맞은 말에 ◯표 하세요.

빨간색
초록색
파란색

초록색 막대는 (빨간색 , 파란색) 막대보다 더 길고

(빨간색 , 파란색) 막대는 초록색 막대보다 더 깁니다.

가장 긴 막대는 (빨간색 , 파란색) 막대입니다.

연두색
노란색
주황색

연두색 막대는 (노란색 , 주황색) 막대보다 더 짧고

(노란색 , 주황색) 막대는 연두색 막대보다 더 짧습니다.

가장 짧은 막대는 (노란색 , 주황색) 막대입니다.

3일차 막대 색칠하기 (1)

설명을 보고 막대를 알맞은 색깔로 색칠해 보세요.

빨간색 막대는 파란색 막대보다 더 깁니다.

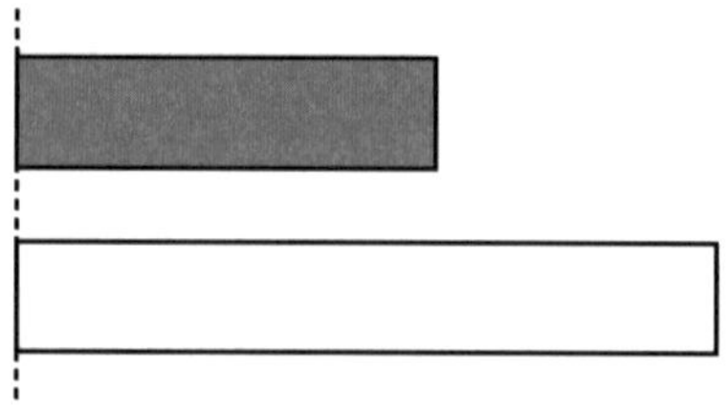

노란색 막대는 빨간색 막대보다 더 깁니다.

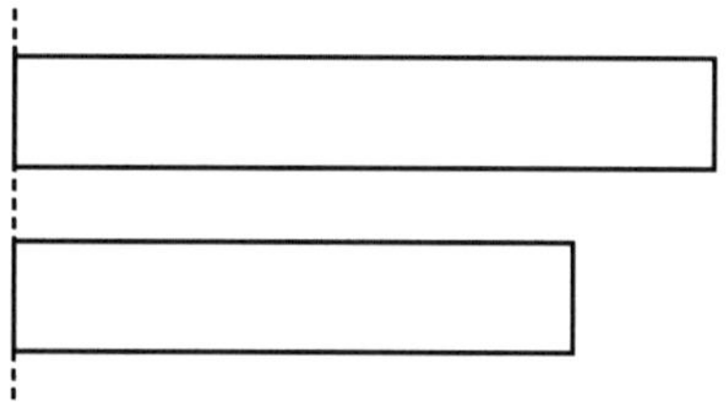

파란색 막대는 노란색 막대보다 더 짧습니다.

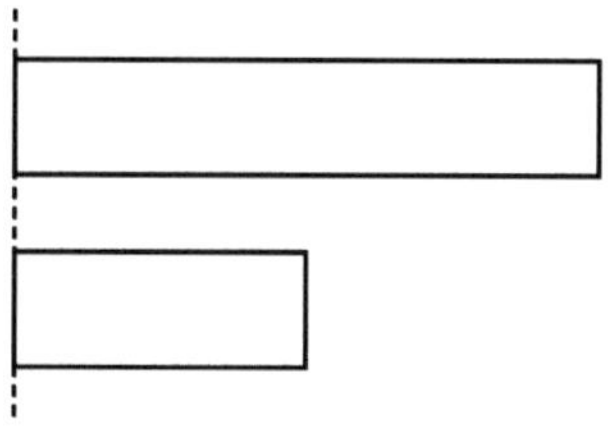

초록색 막대는 파란색 막대보다 더 짧습니다.

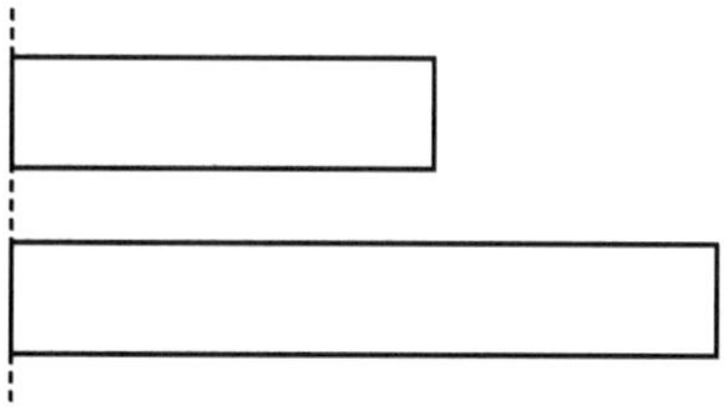

설명을 보고 막대를 알맞은 색깔로 색칠해 보세요.

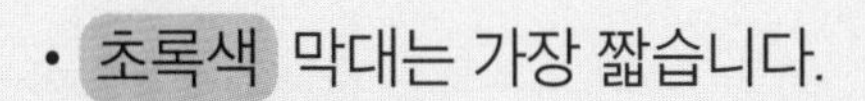

• 초록색 막대는 가장 짧습니다.

• 파란색 막대는 노란색 막대보다 더 짧습니다.

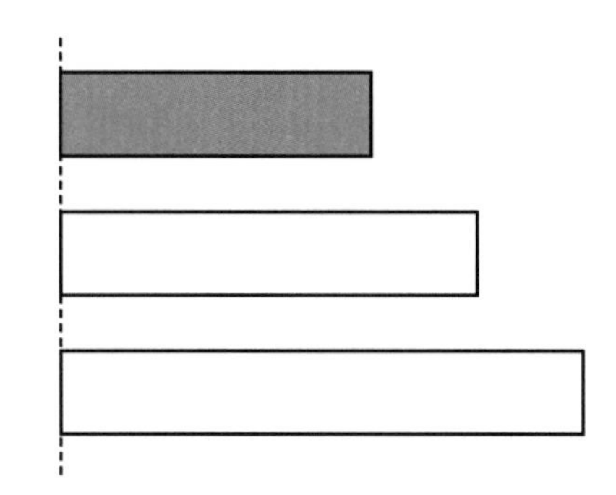

• 빨간색 막대는 가장 깁니다.

• 초록색 막대는 노란색 막대보다 더 깁니다.

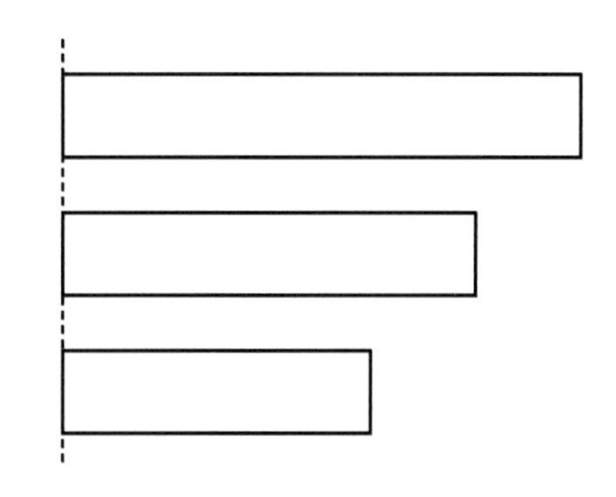

• 파란색 막대는 가장 짧습니다.

• 빨간색 막대는 초록색 막대보다 더 깁니다.

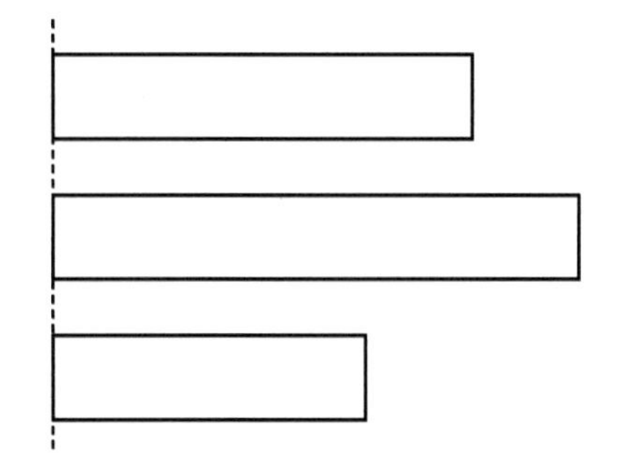

4일차 막대 색칠하기 (2)

설명을 보고 막대를 알맞은 색깔로 색칠해 보세요.

빨간색 막대는 노란색 막대보다 더 길고 파란색 막대보다 더 짧습니다.

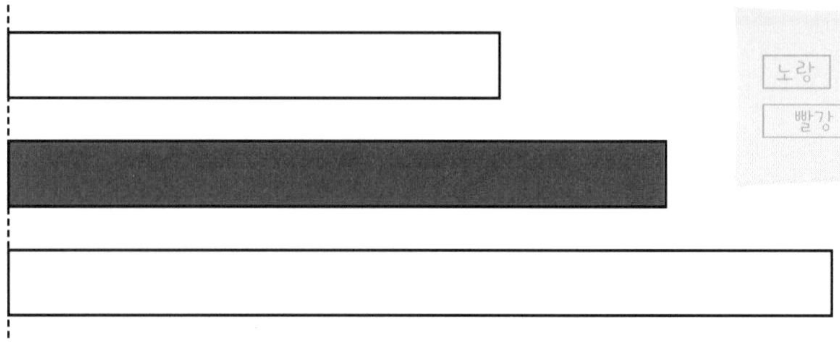

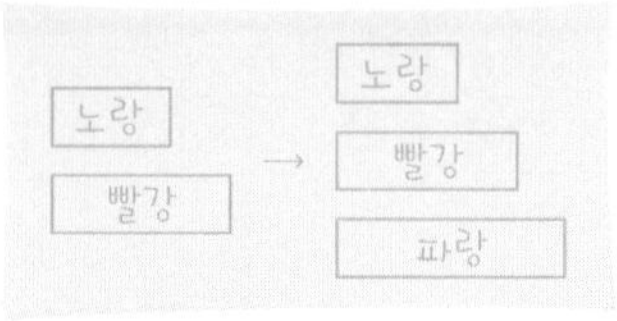

노랑 빨강 → 노랑 빨강 파랑

노란색 막대는 파란색 막대보다 더 짧고 초록색 막대보다 더 깁니다.

설명을 보고 막대를 알맞은 색깔로 색칠해 보세요.

초록색 막대는 빨간색 막대보다 더 짧고 빨간색 막대는 파란색 막대보다 더 짧습니다.

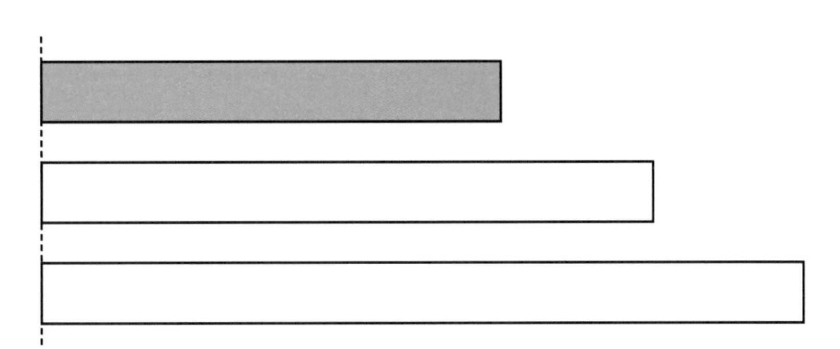

파란색 막대는 빨간색 막대보다 더 길고 빨간색 막대는 노란색 막대보다 더 깁니다.

5일차 길이 추리

설명을 보고 가장 긴 것을 써 보세요.

①옥수수는 오이보다 더 짧고/②고구마보다 더 깁니다.

①		②
옥수수	→	고구마
오이		옥수수
		오이

(　　　　　　)

망치는 못보다 더 길고 빗자루는 망치보다 더 깁니다.

(　　　　　　)

양말은 목도리보다 더 짧고 장갑은 양말보다 더 짧습니다.

(　　　　　　)

설명을 보고 가장 짧은 것부터 차례로 써 보세요.

❶ 트럭은 자전거보다 더 길고 / ❷ 기차보다 더 짧습니다.

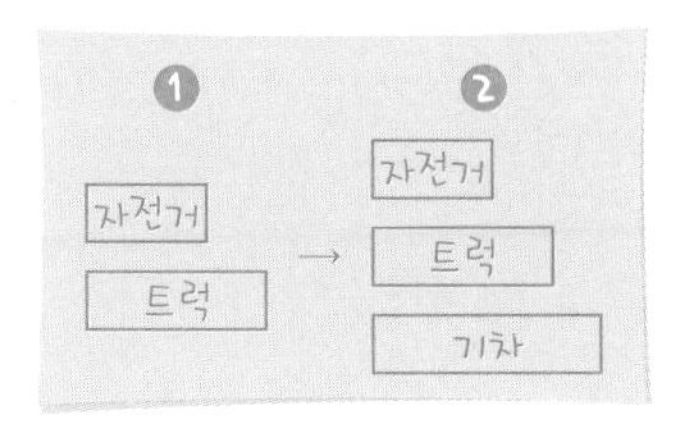

가위는 연필보다 더 길고 연필은 지우개보다 더 깁니다.

우산은 지팡이보다 더 짧고 지팡이는 줄넘기보다 더 짧습니다.

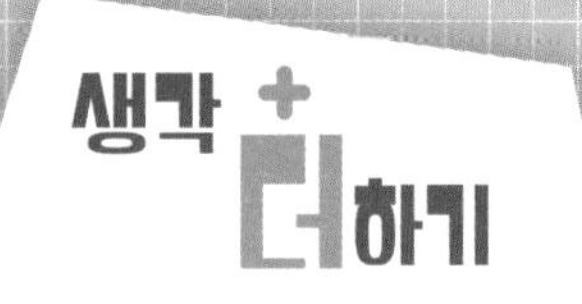

길이 순서

길이가 가장 짧은 깃발부터 차례로 세우고 있습니다. 빨간색 깃발은 몇 번 자리에 세워야 할까요?

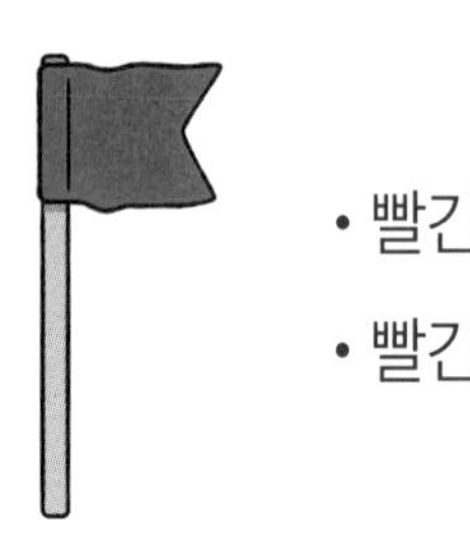

- 빨간색 깃발은 초록색 깃발보다 더 깁니다.
- 빨간색 깃발이 가장 길지는 않습니다.

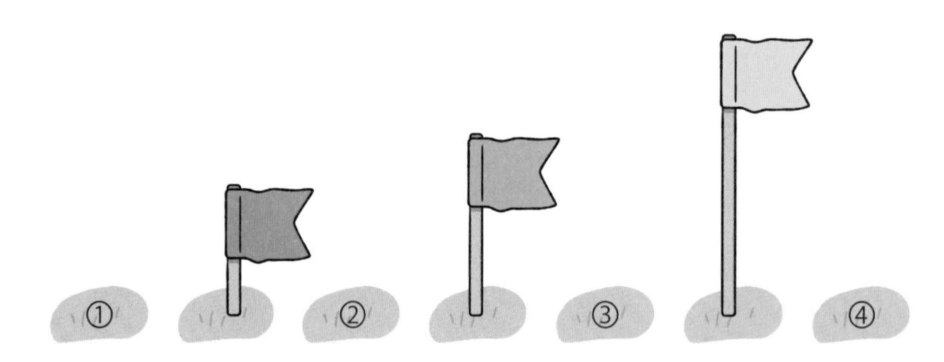

빨간색 깃발의 자리: ☐

3 주차

무게 비교

1일차 눈으로 비교하기

더 무거운 것에 ○표 하세요.

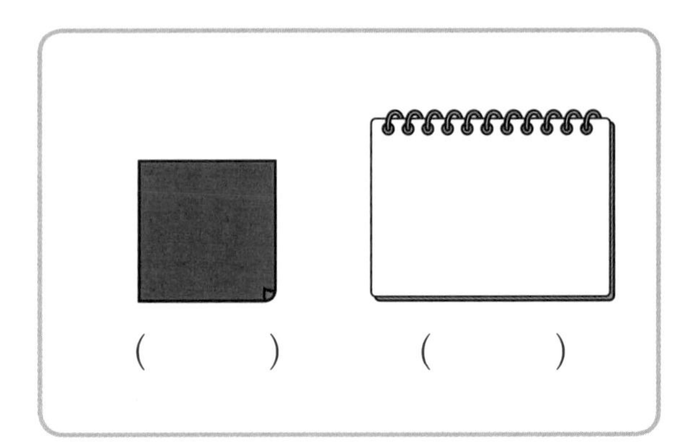

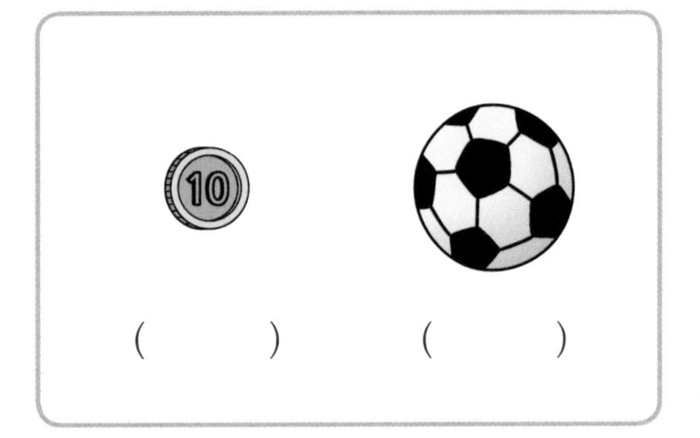

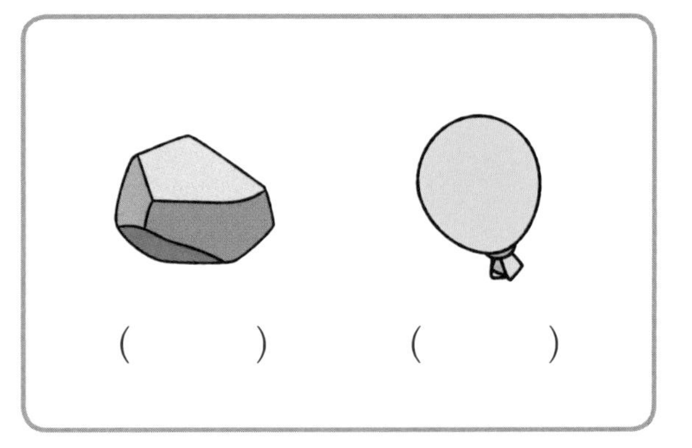

무게를 비교할 때는 '더 무겁다', '더 가볍다'라는 말을 사용합니다.

수박은 사과보다 더 무겁습니다.
사과는 수박보다 더 가볍습니다.

가장 무거운 것에 ◯표, 가장 가벼운 것에 △표 하세요.

( ) ( ) ( )

( ) ( ) ( )

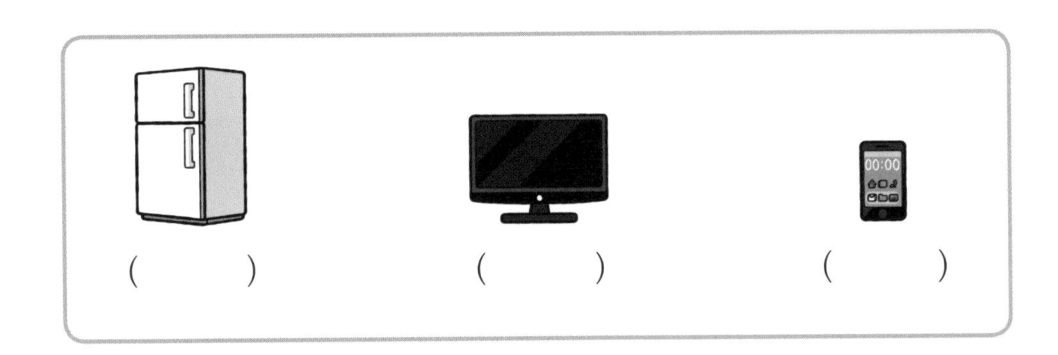

( ) ( ) ( )

( ) ( ) ( )

2일차 찌그러진 박스

자루를 상자 위에 올려놓았습니다. 더 무거운 자루에 ○표 하세요.

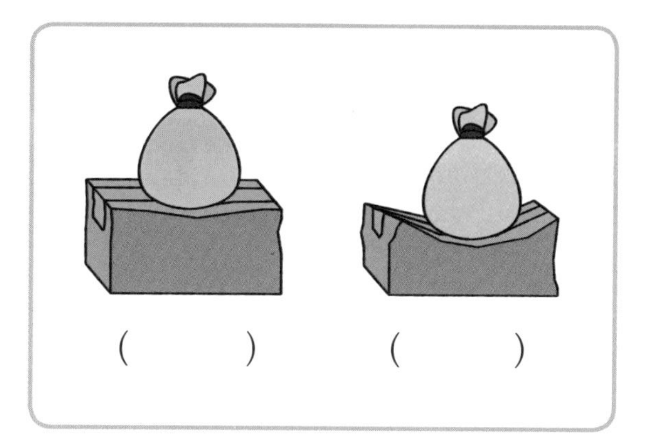
( ) ( )

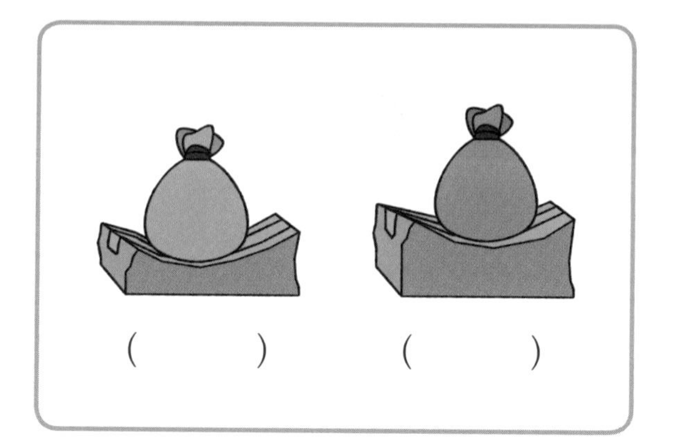
( ) ( )

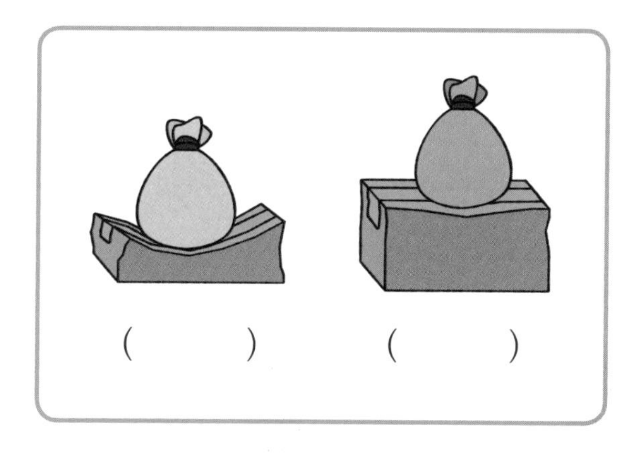
( ) ( )

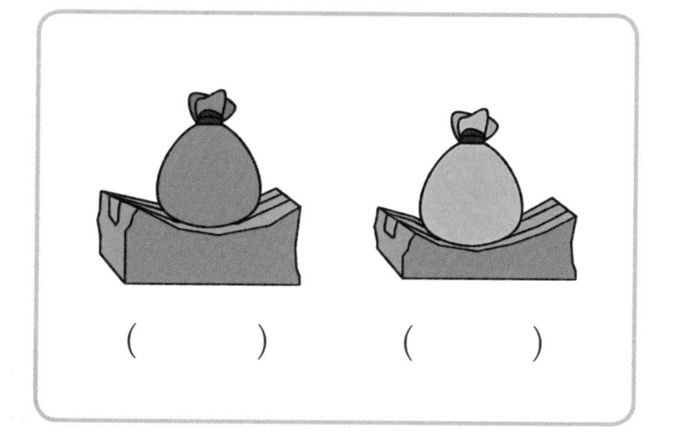
( ) ( )

상자에 올려놓는 것이 무거울수록 상자가 많이 찌그러지고, 가벼울수록 상자가 적게 찌그러집니다.

수박을 올려놓은 상자가 사과를 올려놓은 상자보다 더 많이 찌그러졌으므로 수박은 사과보다 더 무겁습니다.

상자에 서 있었던 동물을 찾아 이어 보세요.

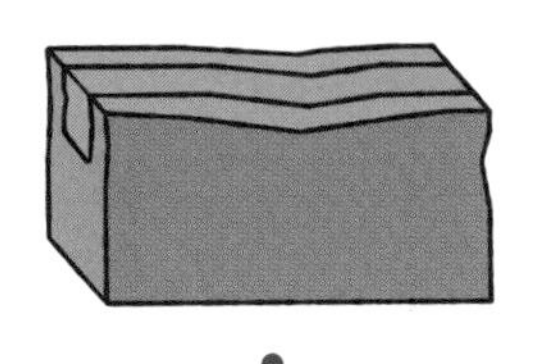
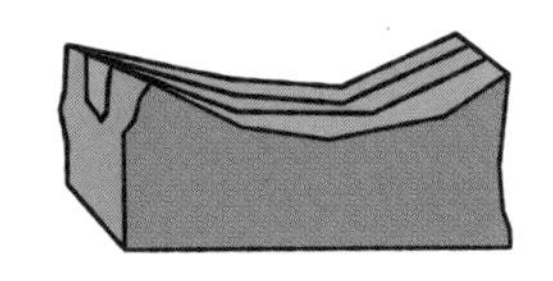
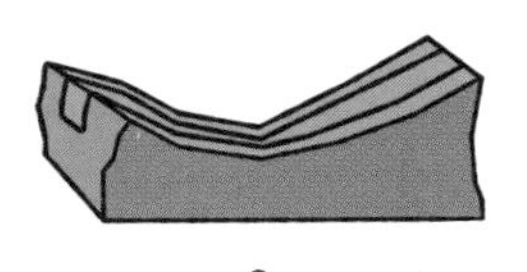

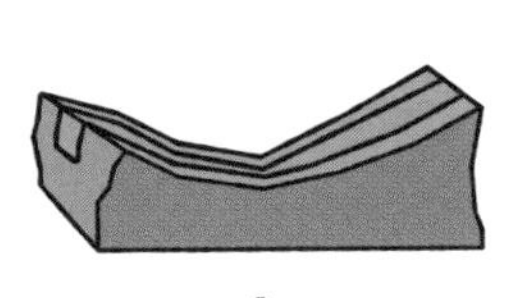
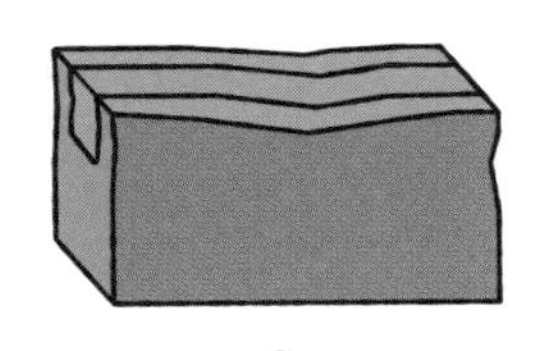
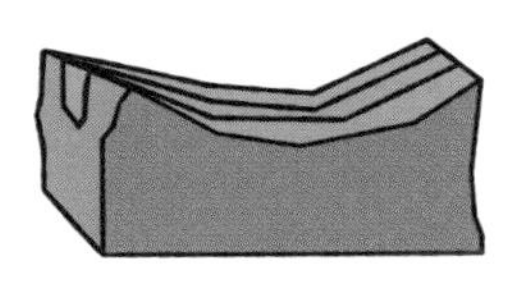

3일차 늘어난 고무줄

상자를 똑같은 고무줄에 매달았습니다. 더 무거운 상자에 ○표 하세요.

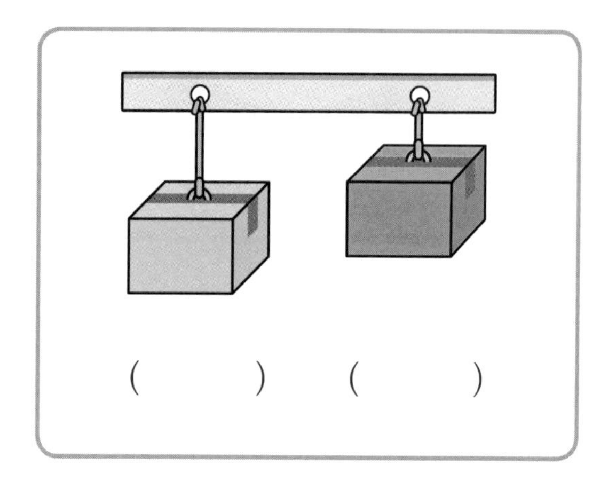

( ) ( )

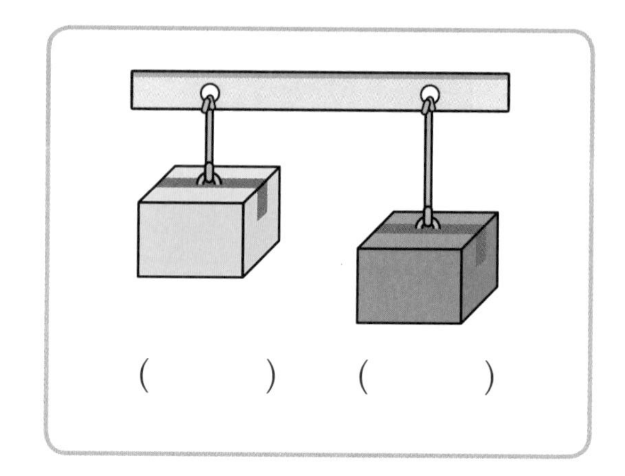

( ) ( )

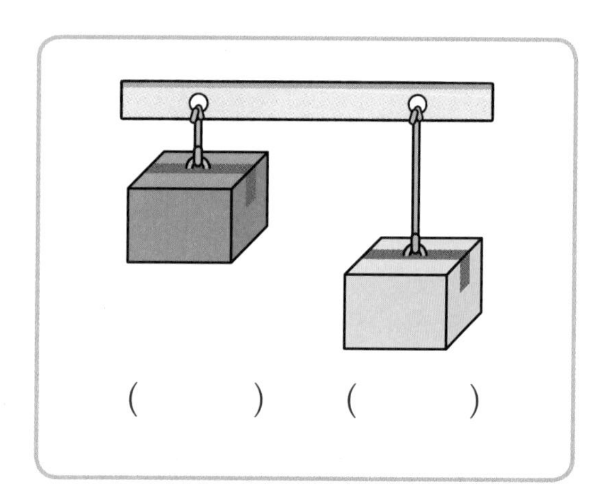

( ) ( )

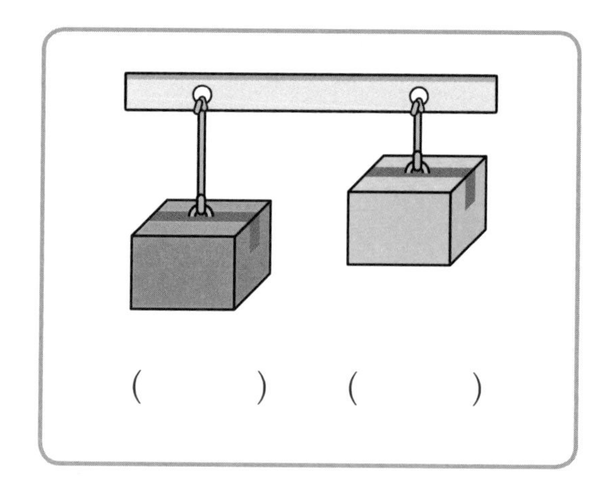

( ) ( )

고무줄에 매달았을 때 무거울수록 고무줄이 많이 늘어나고 가벼울수록 고무줄이 적게 늘어납니다.

수박을 매달아 놓은 고무줄이 사과를 매달아 놓은 고무줄보다 더 많이 늘어났으므로 수박은 사과보다 더 무겁습니다.

똑같은 고무줄에 매달았습니다. 가장 무거운 것부터 차례로 번호를 써 보세요.

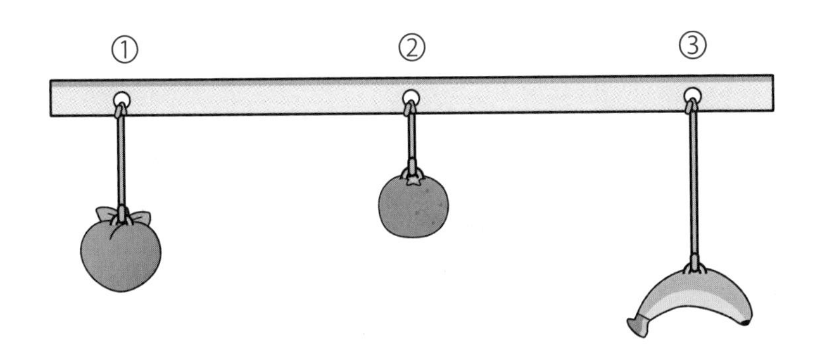

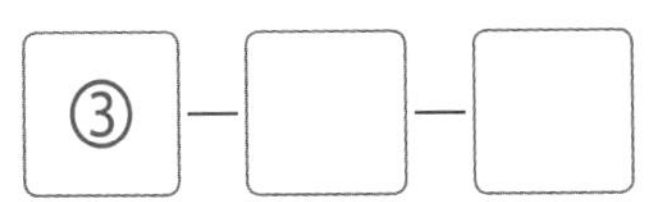

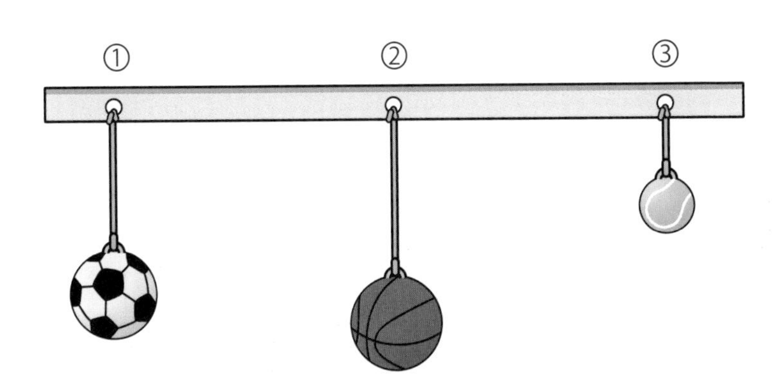

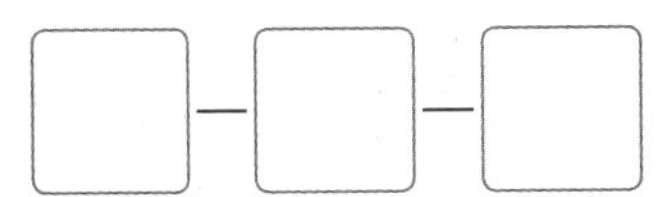

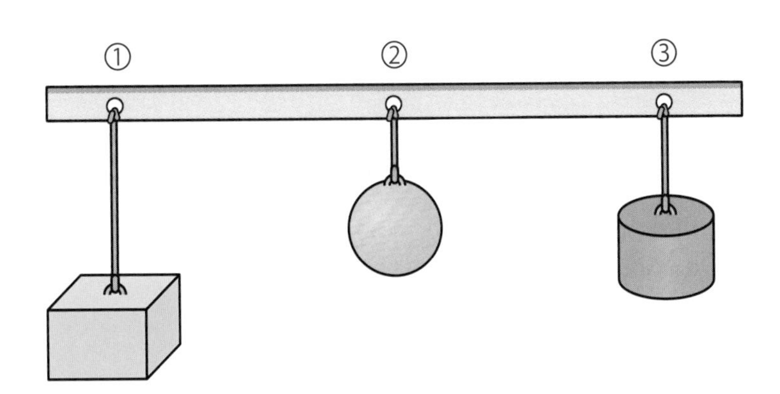

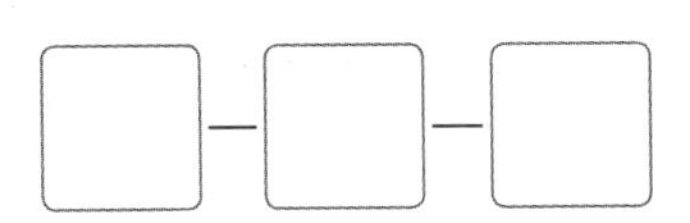

기울어진 양팔저울

양팔저울의 양쪽에 추를 올려놓았습니다. 더 무거운 추에 ○표 하세요.

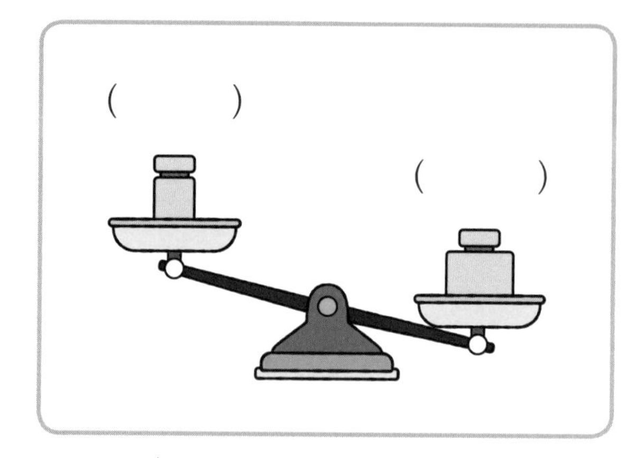

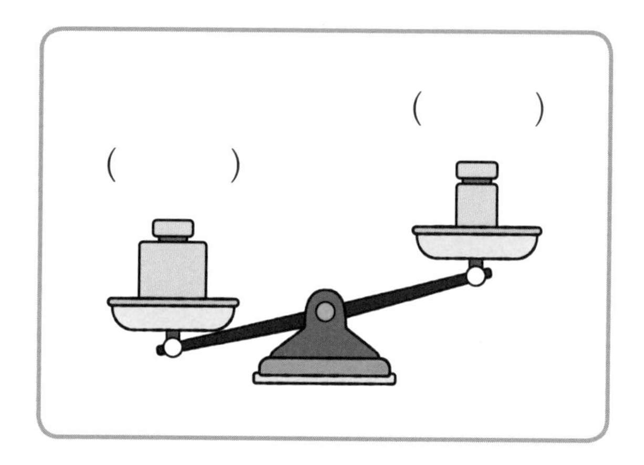

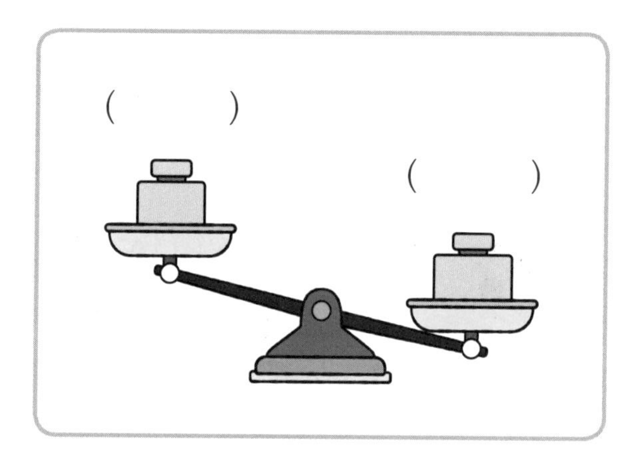

양팔저울은 시소처럼 아래로 내려간 쪽이 무거운 것, 위로 올라간 쪽이 가벼운 것입니다.

수박과 사과를 양팔저울의 양쪽에 각각 올려놓으면 수박쪽이 내려가므로 수박은 사과보다 더 무겁습니다.

빈칸에 알맞은 말을 써넣으세요.

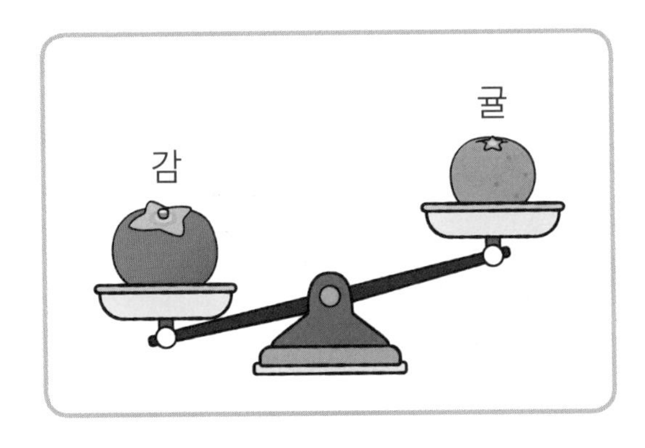

감 은 귤 보다 더 무겁습니다.

[ ] 은 [ ] 보다 더 가볍습니다.

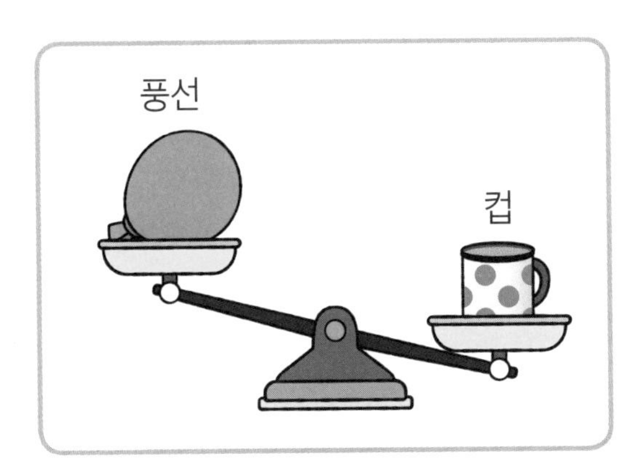

[ ] 은 [ ] 보다 더 무겁습니다.

[ ] 은 [ ] 보다 더 가볍습니다.

[ ] 는 [ ] 보다 더 무겁습니다.

[ ] 은 [ ] 보다 더 가볍습니다.

5일차 바꾸어 놓기

수박이 가장 무겁고 사과가 가장 가볍습니다. 양팔저울의 왼쪽에 배를 올려놓았습니다. 알맞은 말에 ◯표 하세요.

양팔저울의 오른쪽에 사과를 올려놓으면 양팔저울은
(사과쪽이 내려갑니다 , 그대로 있습니다).

양팔저울의 오른쪽에 수박을 올려놓으면 양팔저울은
(수박쪽이 내려갑니다 , 그대로 있습니다).

귤은 사과보다 더 가벼우므로 빈 접시에 귤을 올려놓아도 양팔저울은 그대로 있습니다.

단추가 가장 가볍고 지우개가 가장 무겁습니다. 알맞은 말에 ◯표 하세요.

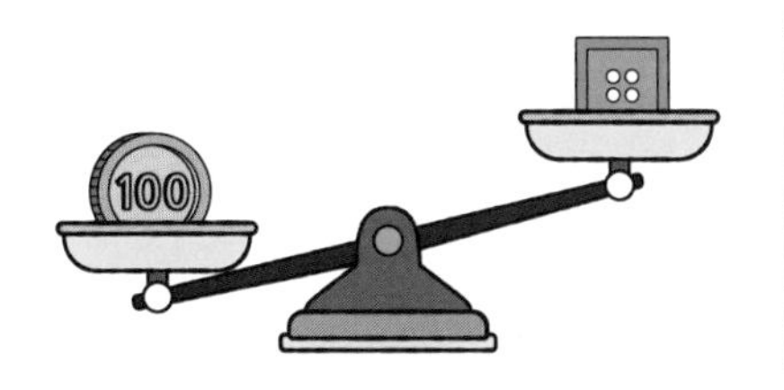

단추를 빼고 지우개를 올려놓으면 양팔저울은

(지우개쪽이 내려갑니다 , 그대로 있습니다).

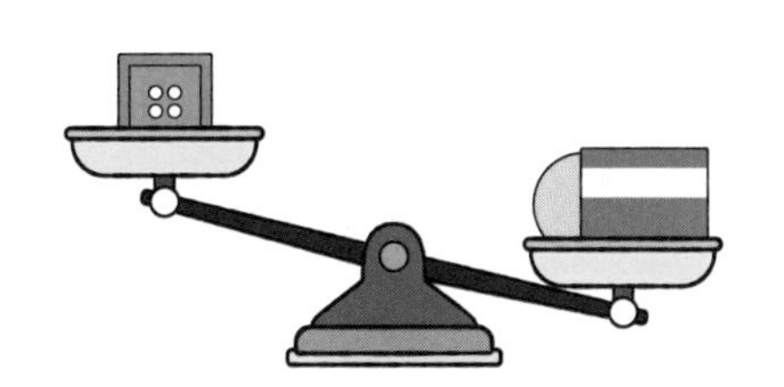

단추를 빼고 동전을 올려놓으면 양팔저울은

(동전쪽이 내려갑니다 , 그대로 있습니다).

수박은 사과보다 더 무거우므로 빈 접시에 수박을 올려놓으면 양팔저울은 수박쪽이 내려갑니다.

생각
더하기

사과와 귤

양팔저울이 어느쪽으로도 내려가지 않으면 무게가 같은 것입니다. 사과 1개와 귤 2개의 무게가 같습니다. 올바른 양팔저울 그림에 모두 ○표 하세요.

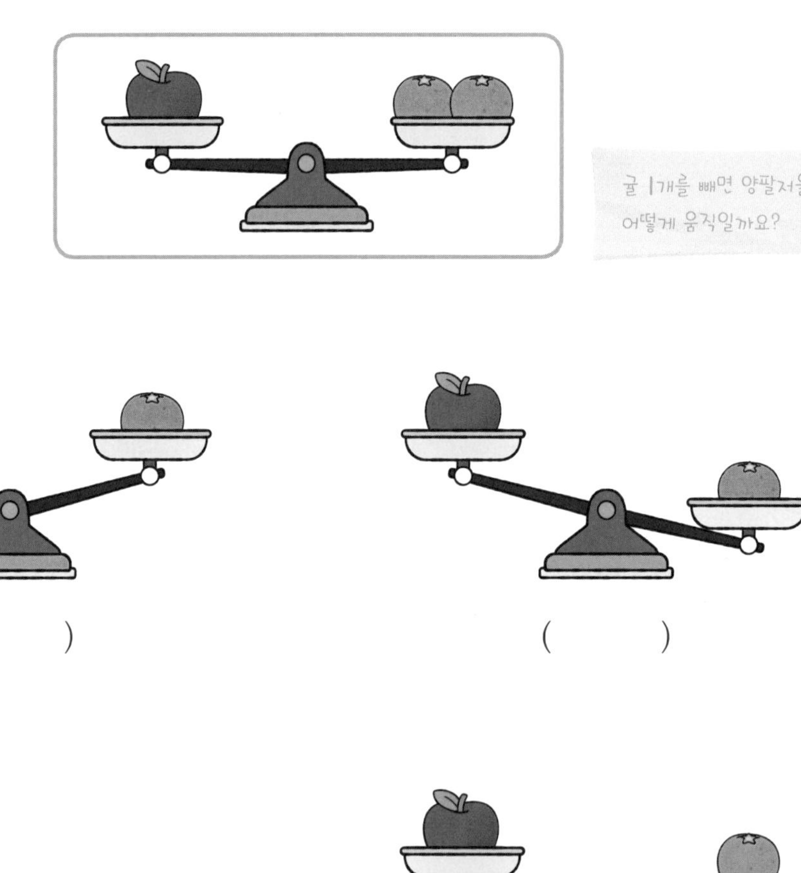
귤 1개를 빼면 양팔저울은
어떻게 움직일까요?

(   )   (   )

(   )   (   )

4 주차

3가지 무게

1일차 추와 양팔저울

■ 설명을 보고 빈 곳에 알맞은 추의 기호를 써넣으세요.

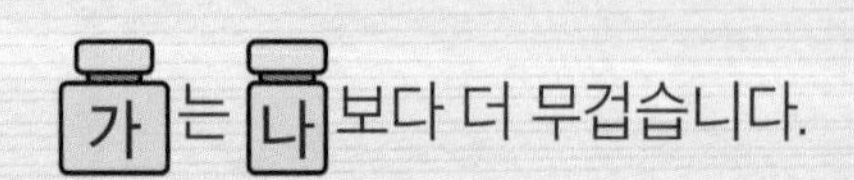

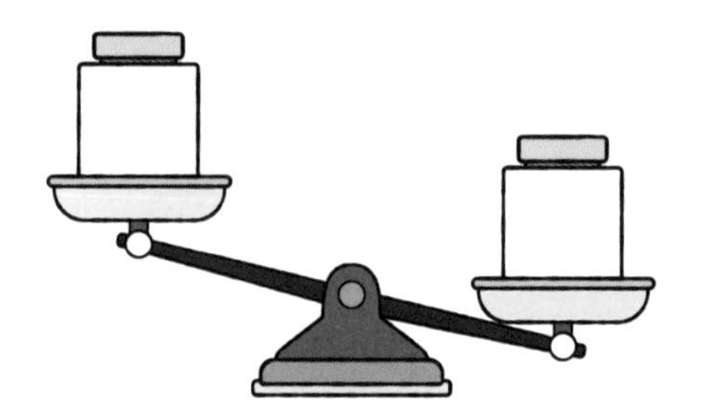

가 는 나 보다 더 가볍습니다.

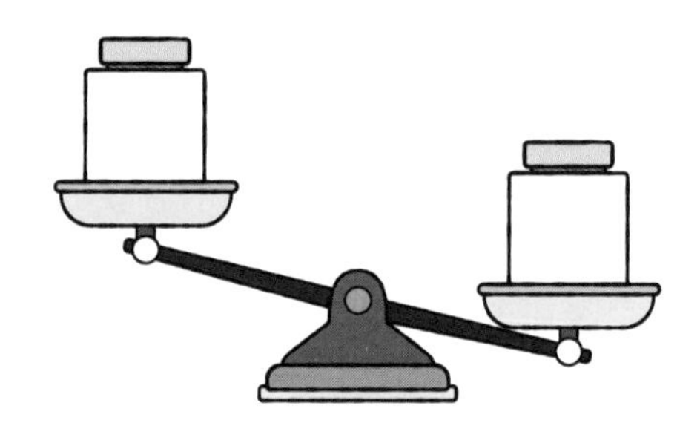

가 는 나 보다 더 무겁습니다.

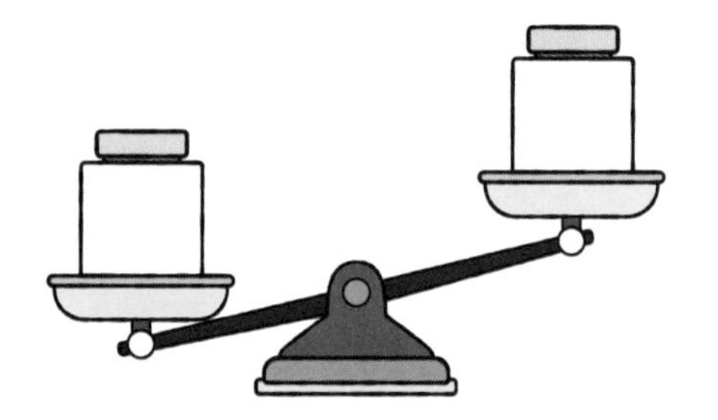

가 는 나 보다 더 가볍습니다.

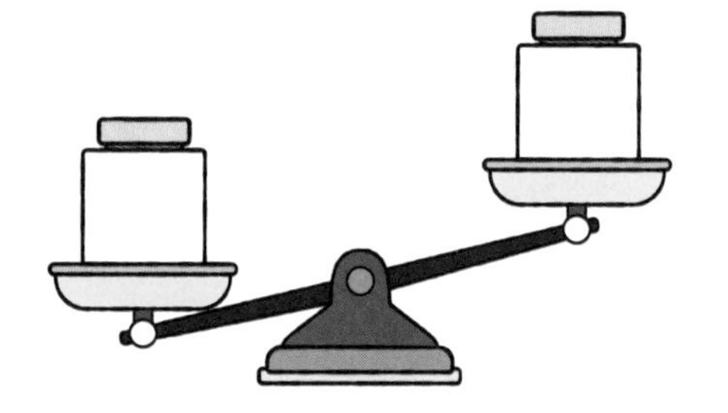

가가 가장 가볍고 다가 가장 무겁습니다. 빈 곳에 알맞은 추의 기호를 써넣으세요.

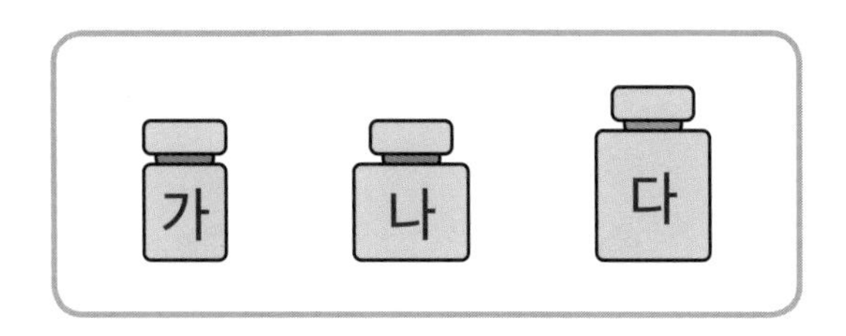

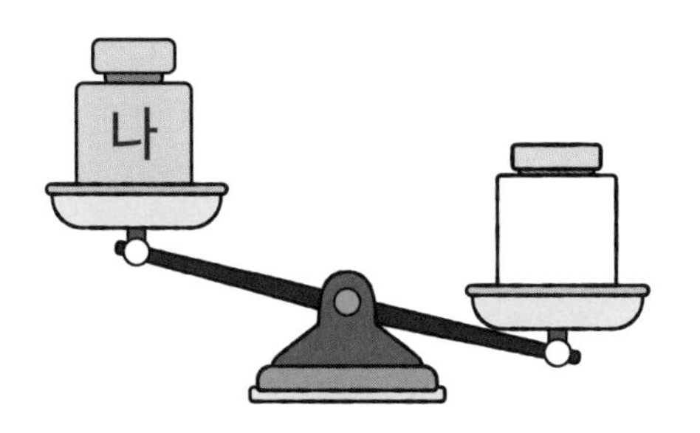

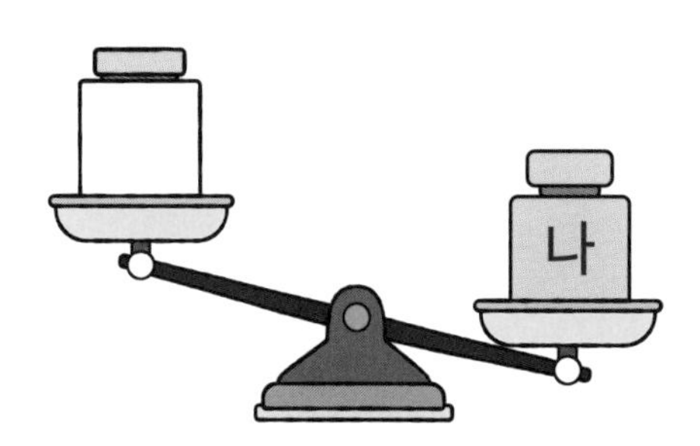

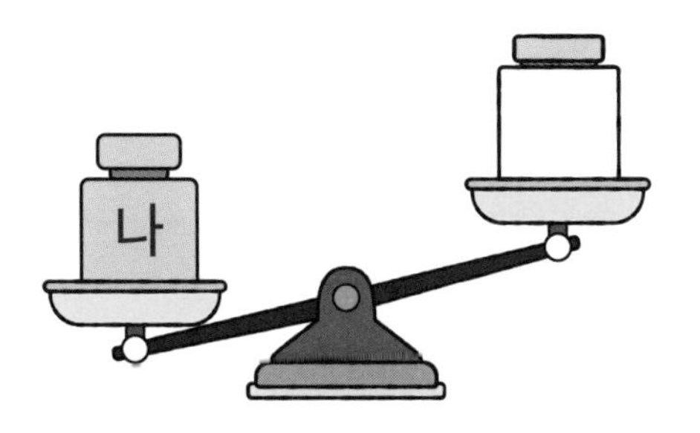

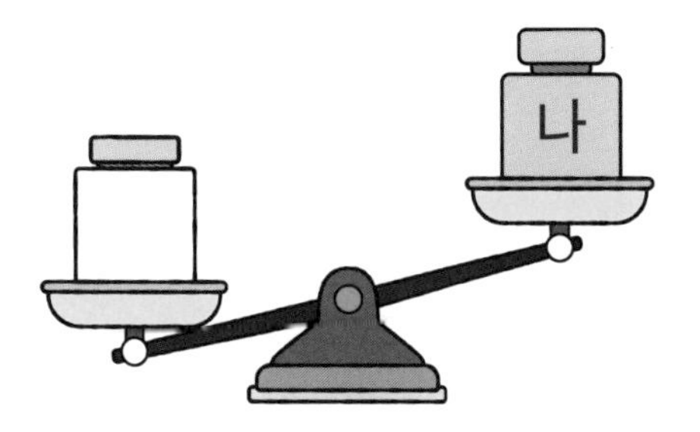

2일차 3가지 무게

빈칸에 알맞은 말을 써넣으세요.

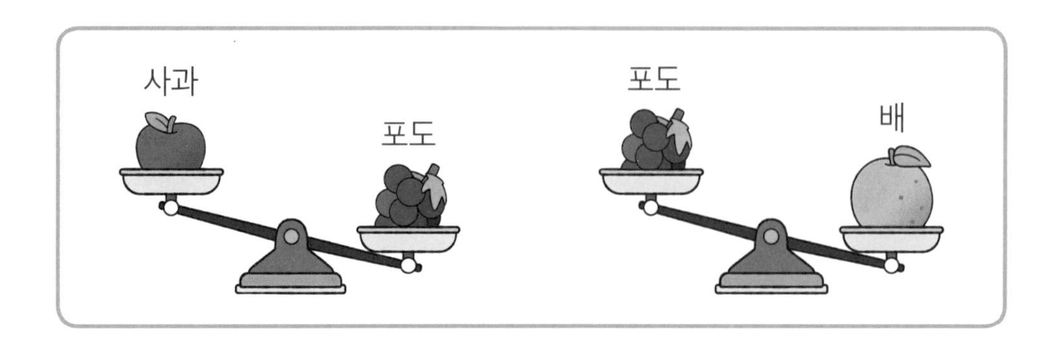

포도는 [ ] 보다 더 무겁고 [ ] 보다 더 가볍습니다.

사과와 배 중 더 무거운 것은 [ ] 입니다.

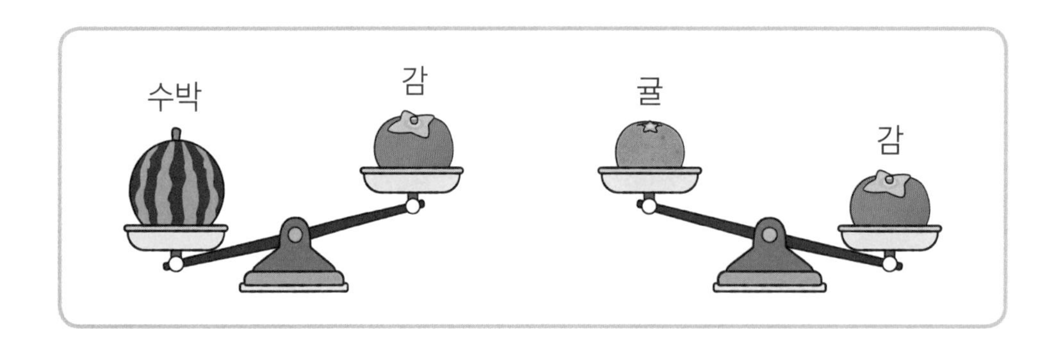

감은 [ ] 보다 더 무겁고 [ ] 보다 더 가볍습니다.

수박과 귤 중 더 가벼운 것은 [ ] 입니다.

알맞은 말에 ◯표 하세요.

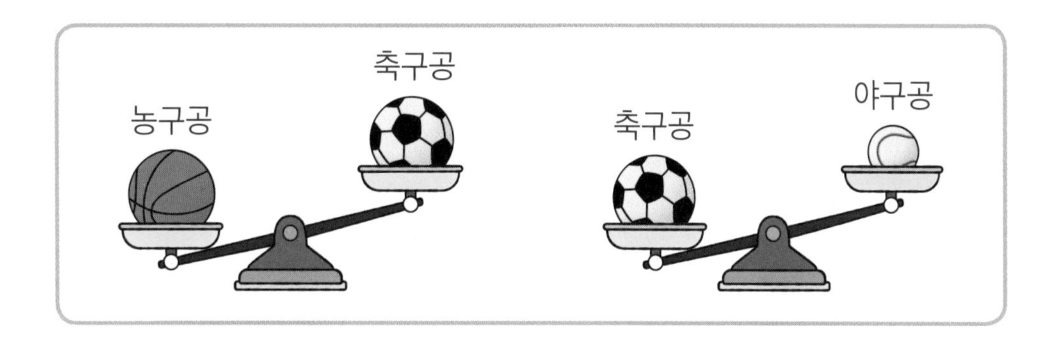

축구공은 (농구공 , 야구공)보다 더 무겁고

(농구공 , 야구공)은 축구공보다 더 무겁습니다.

가장 무거운 것은 (농구공 , 야구공)입니다.

배구공은 (테니스공 , 축구공)보다 더 가볍고

(테니스공 , 축구공)은 배구공보다 더 가볍습니다.

가장 가벼운 것은 (테니스공 , 축구공)입니다.

3일차 동물의 무게

가장 무거운 동물에 ◯표 하세요.

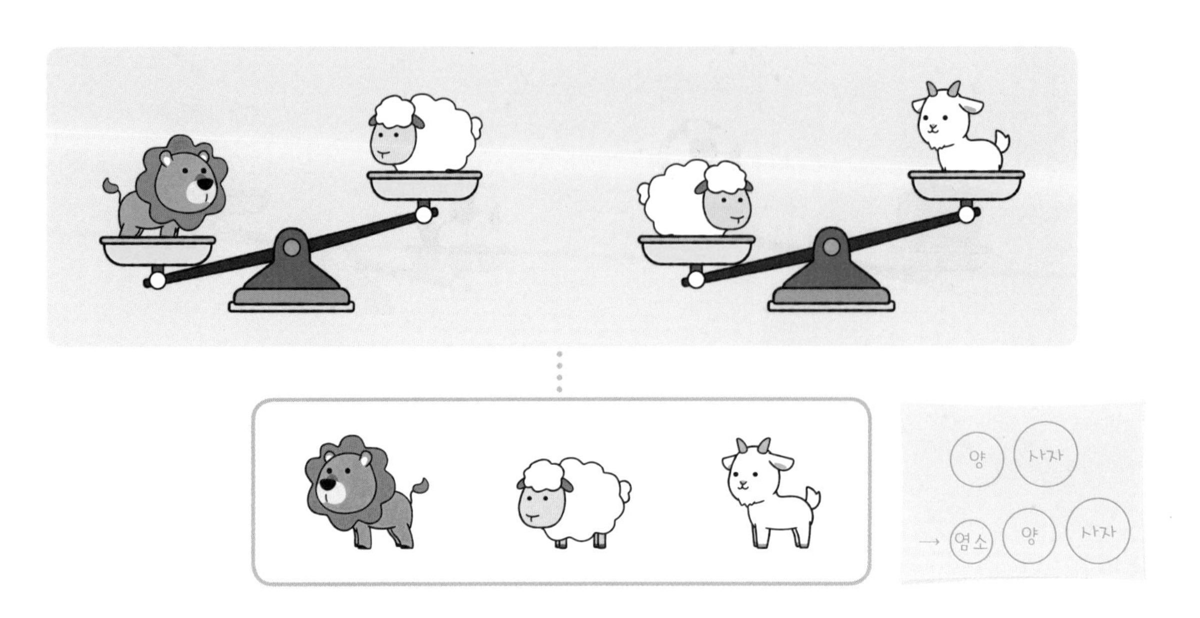

가장 가벼운 동물부터 차례로 써 보세요.

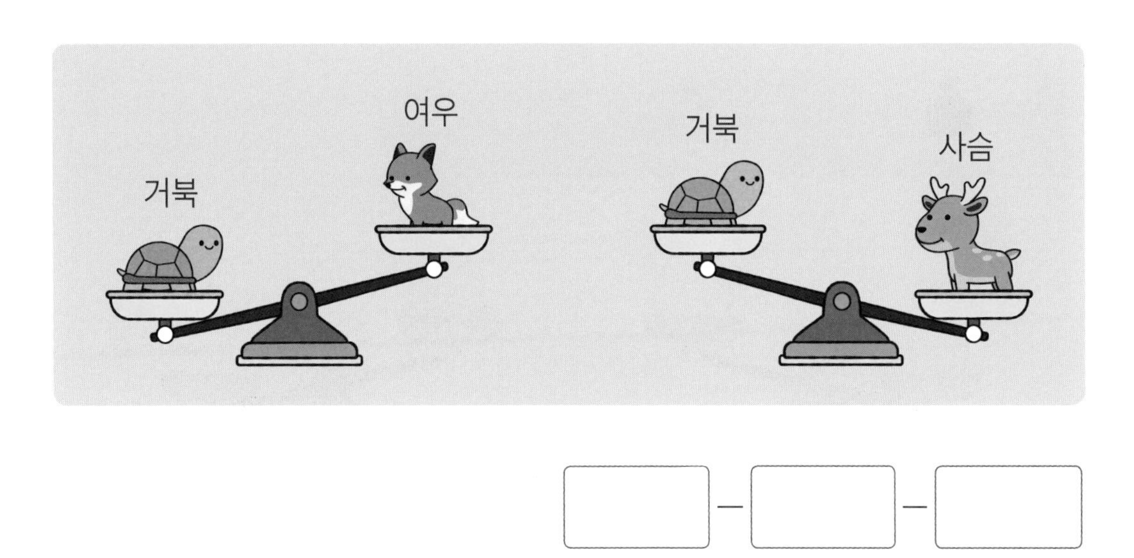

[ ] – [ ] – [ ]

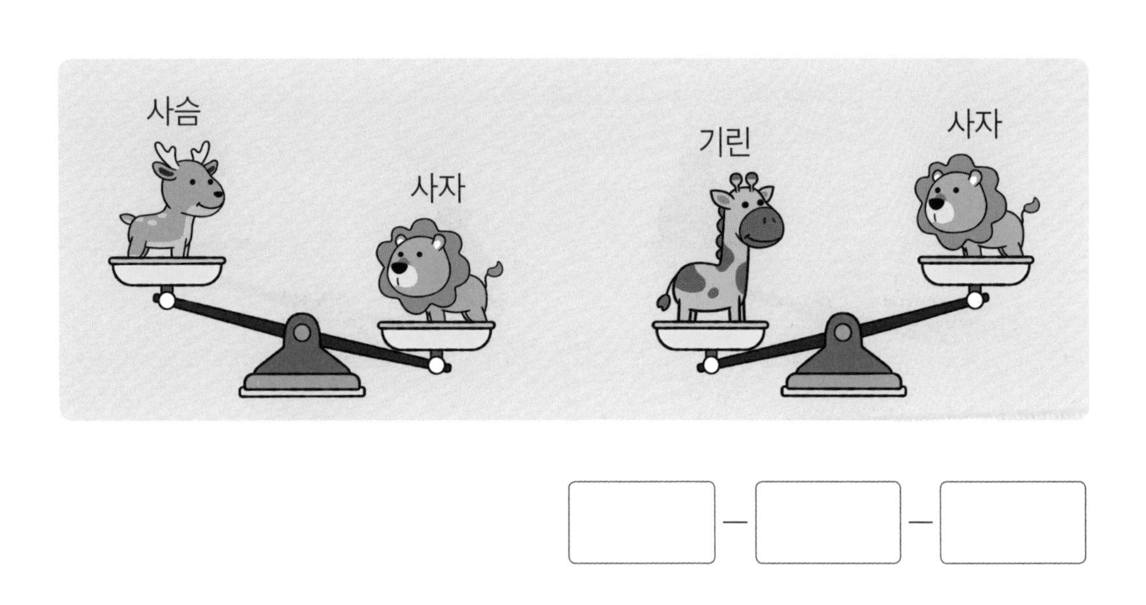

[ ] – [ ] – [ ]

4일차 주머니 색칠하기

설명을 보고 빈 주머니를 알맞은 색깔로 색칠해 보세요.

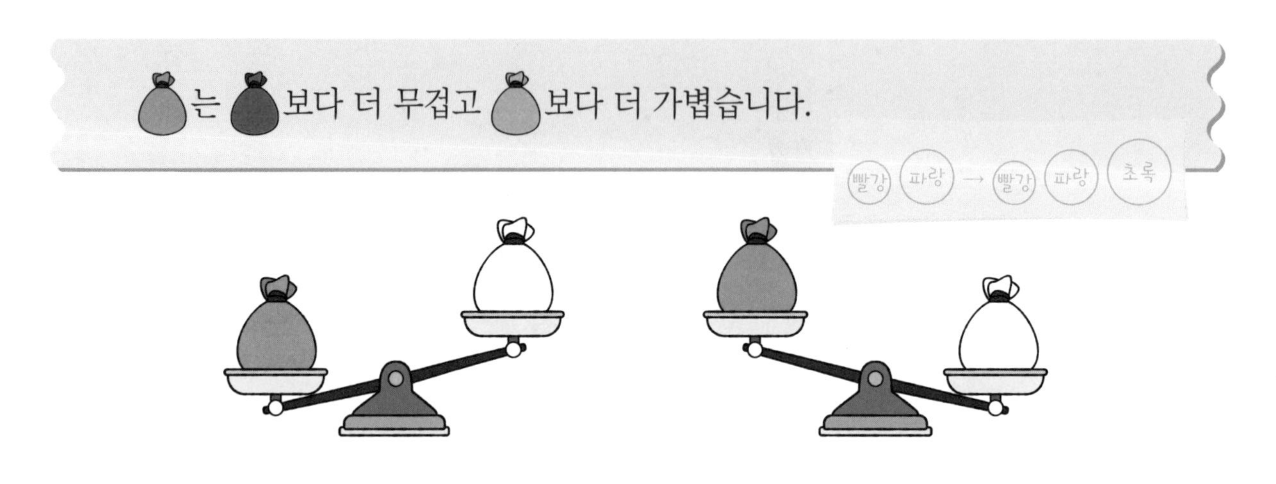

는 보다 더 무겁고 보다 더 가볍습니다.
빨강 파랑 → 빨강 파랑 초록

설명을 보고 빈 주머니를 알맞은 색깔로 색칠해 보세요.

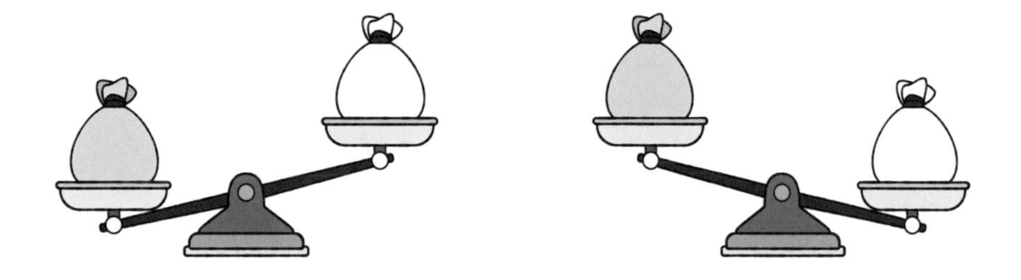

5일차 무게 추리

설명을 보고 가장 가벼운 것을 써 보세요.

❶ ❷
고구마는 감자보다 더 무겁고/호박보다 더 가볍습니다.

❶ ❷
감자 고구마 → 감자 고구마 호박

( )

개는 고양이보다 더 무겁고 고양이는 토끼보다 더 무겁습니다.

( )

색종이는 연필보다 더 가볍고 연필은 지우개보다 더 가볍습니다.

( )

설명을 보고 가장 무거운 것부터 차례로 써 보세요.

가지는 당근보다 더 가볍고 고추보다 더 무겁습니다.

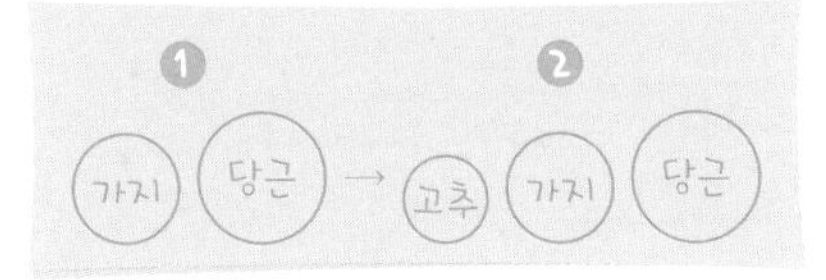

☐ – ☐ – ☐

호랑이는 타조보다 더 무겁고 코끼리는 호랑이보다 더 무겁습니다.

책상은 냉장고보다 더 가볍고 의자는 책상보다 더 가볍습니다.

상자의 무게

■, ■, □ 상자는 모양과 크기가 같지만 무게는 서로 다릅니다. 설명을 보고 상자를 알맞은 색깔로 색칠해 보세요.

- ■상자는 ■상자보다 더 무겁습니다.
- ■상자는 □상자보다 더 가볍습니다.

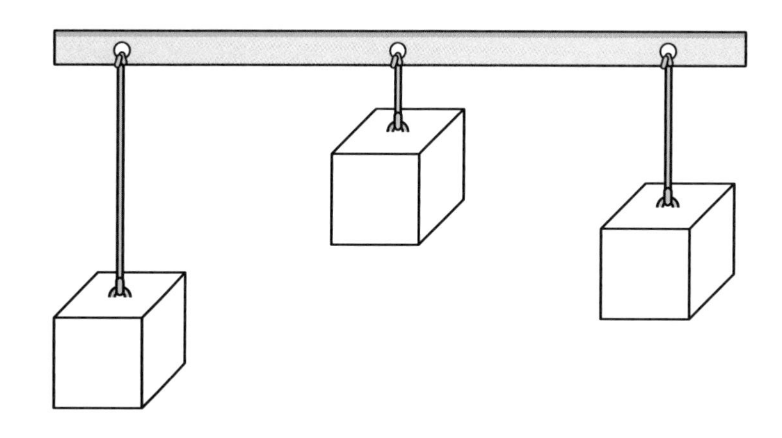

링크 길이가 같은 막대

LINK 1 보이는 막대

길이가 같은 막대 2개를 땅에 꽂았습니다. 땅 위에 보이는 부분의 길이가 더 긴 막대에 ○표 하세요.

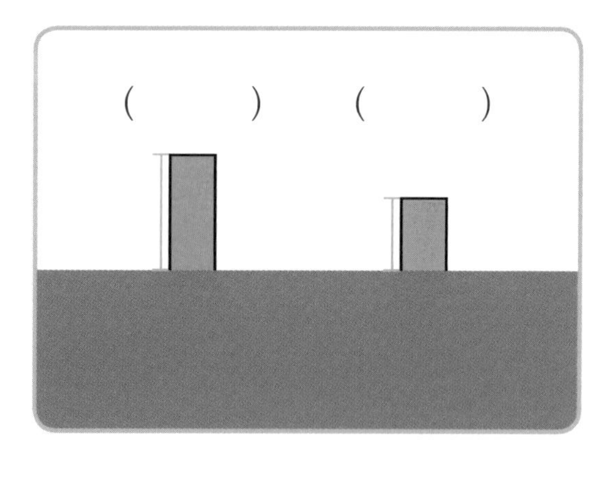

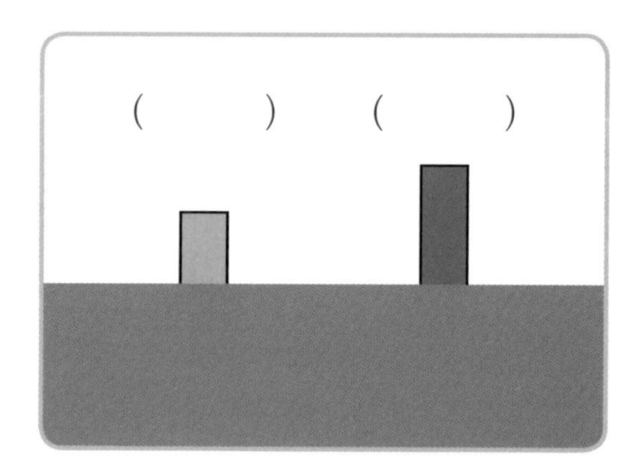

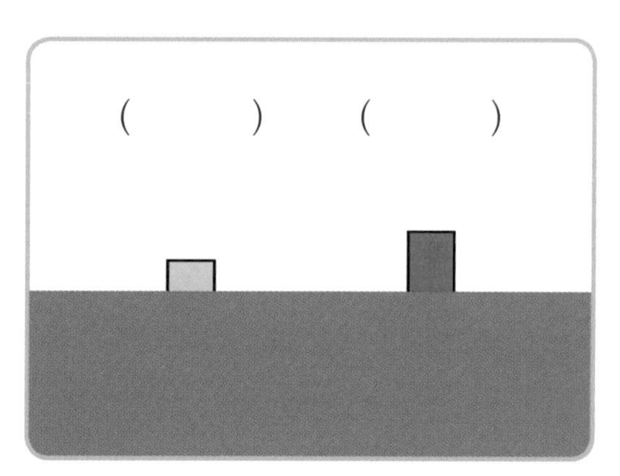

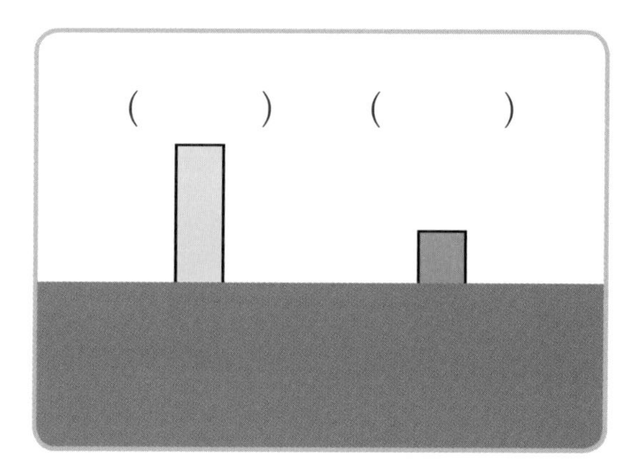

길이가 같은 막대를 땅에 서로 다른 깊이로 꽂습니다. 이때, 땅 위에 보이는 부분의 길이로 땅 속의 보이지 않는 부분의 길이를 비교할 수 있습니다.

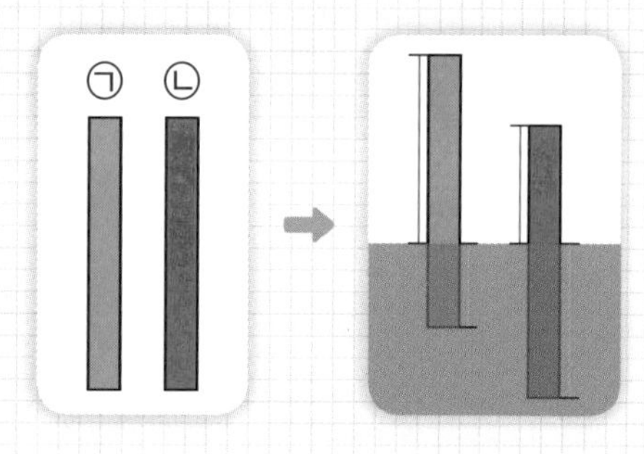

보이는 부분은 ㉠ 막대가 ㉡ 막대보다 더 깁니다.
보이지 않는 부분은 ㉡ 막대가 ㉠ 막대보다 더 깁니다.

길이가 같은 막대 3개를 땅에 꽂았습니다. 땅 위에 보이는 부분의 길이가 가장 긴 막대부터 차례로 번호를 써 보세요.

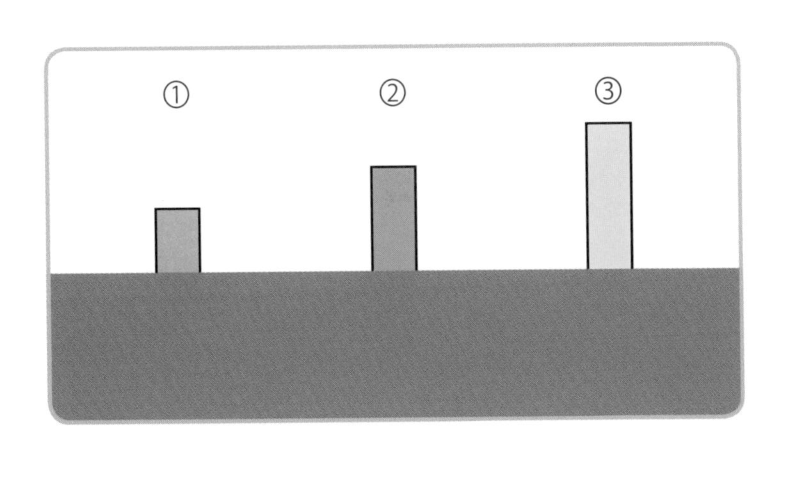

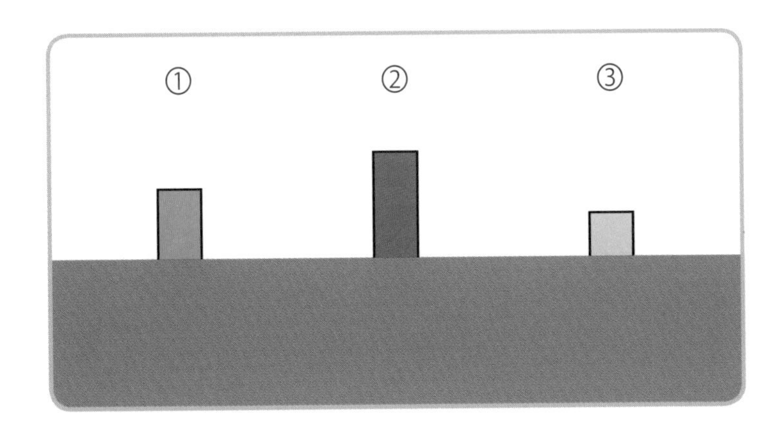

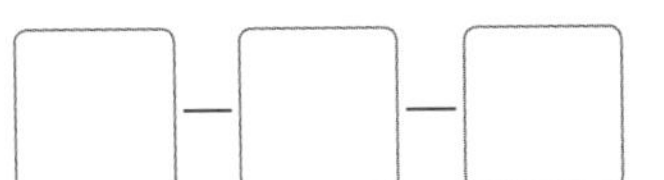

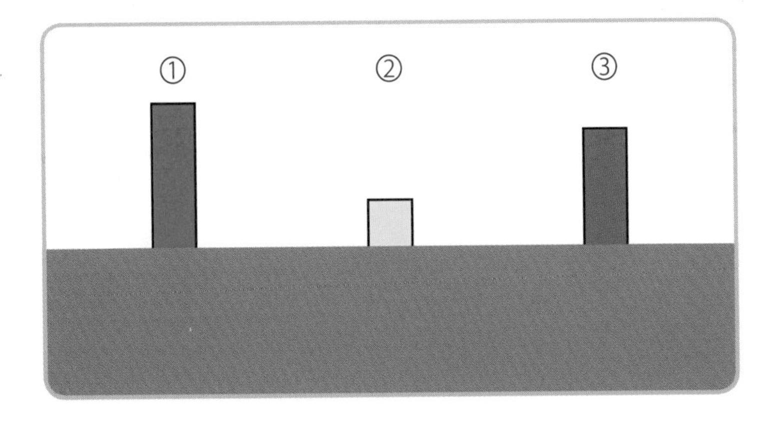

보이지 않는 막대

길이가 같은 막대 2개를 땅에 꽂았습니다. 땅 속에 보이지 않는 부분의 길이가 더 긴 막대에 ◯표 하세요.

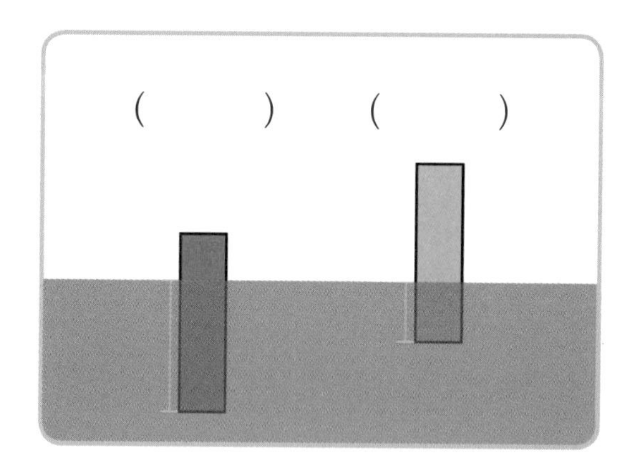

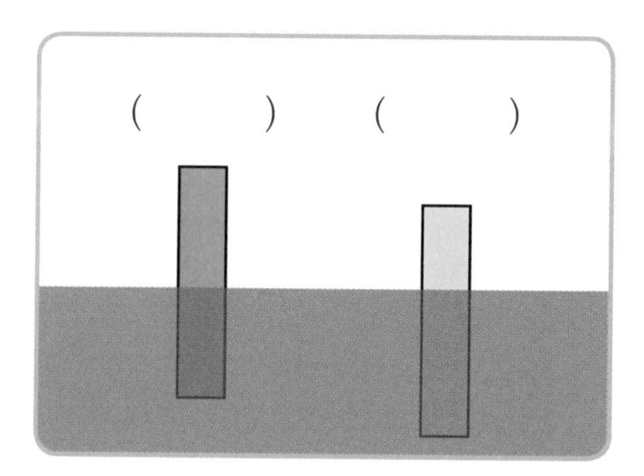

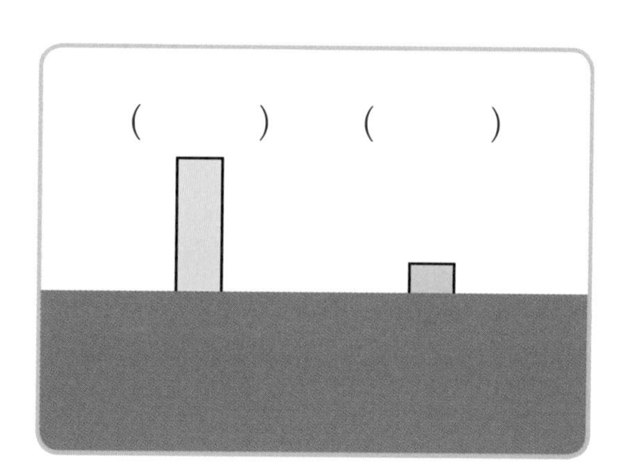

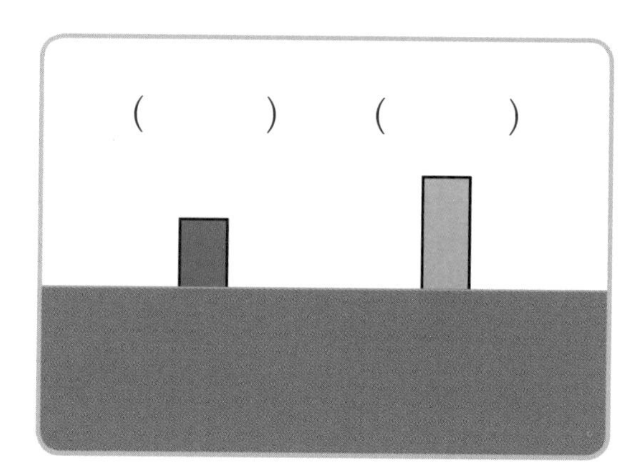

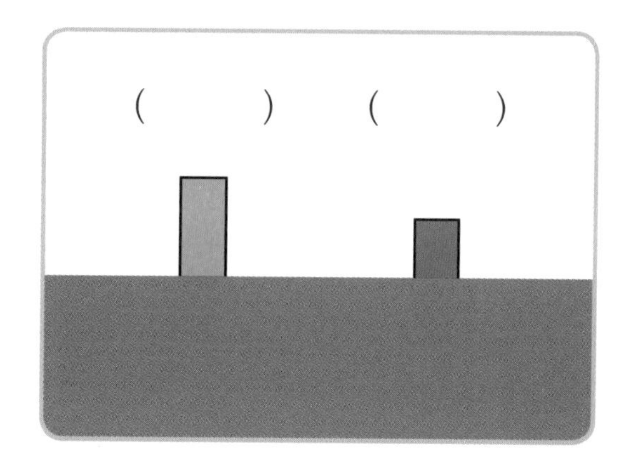

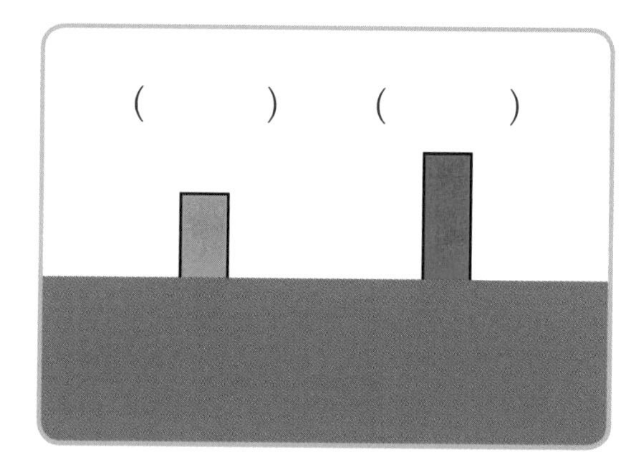

길이가 같은 막대 3개를 땅에 꽂았습니다. 땅 속에 보이지 않는 부분의 길이가 가장 긴 막대부터 차례로 번호를 써 보세요.

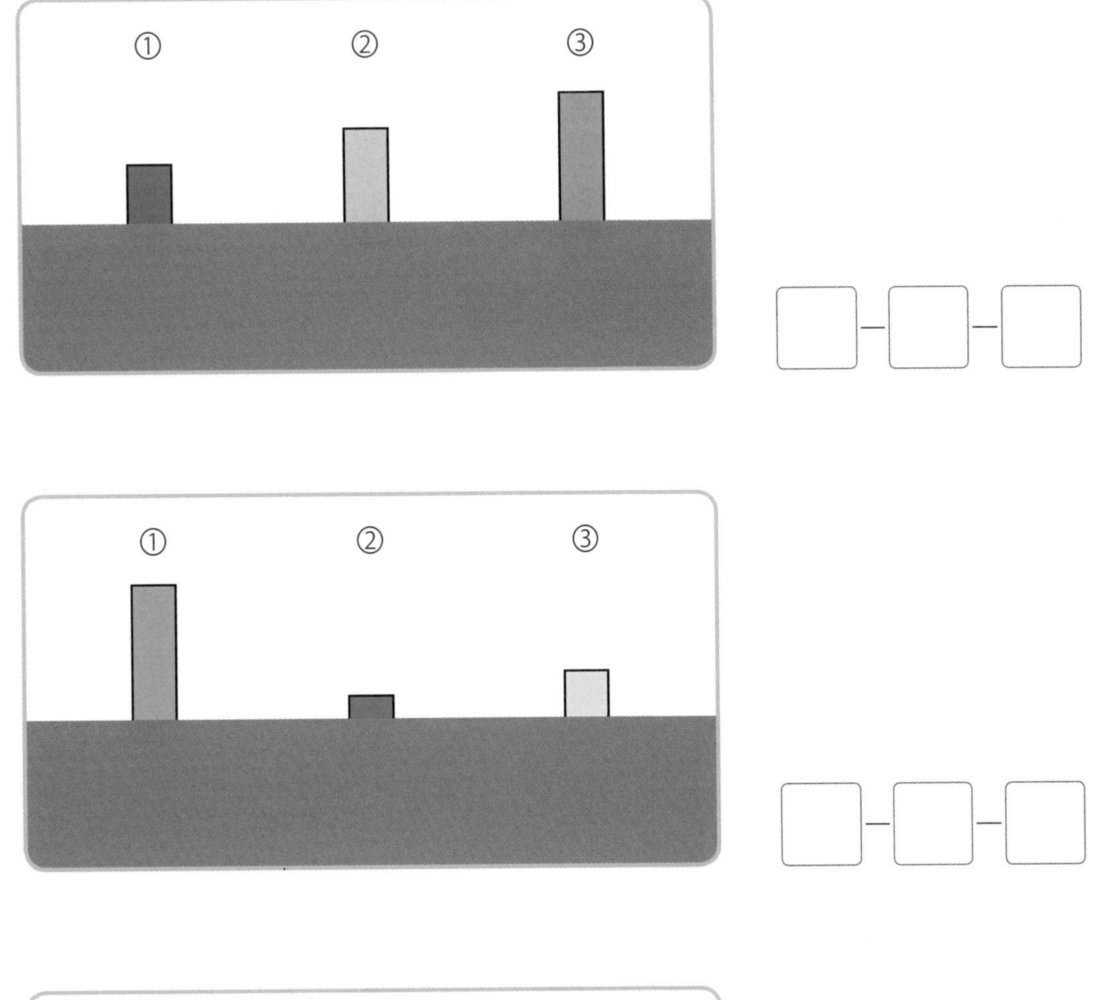

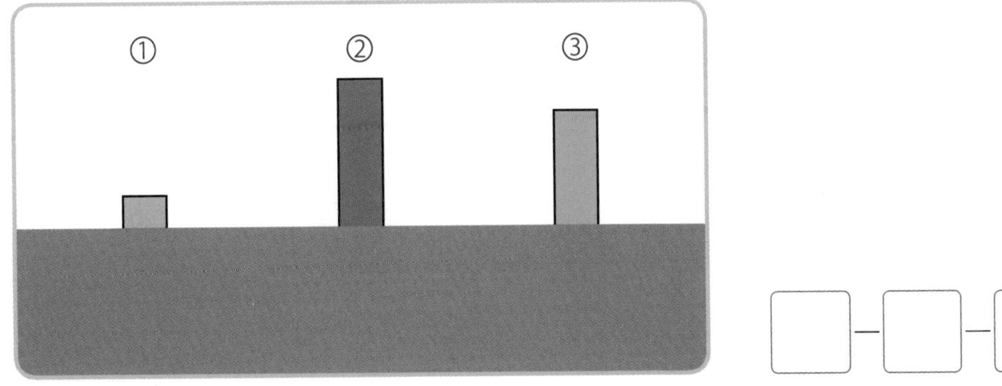

LINK 3 부분 길이의 비교

물음에 답하세요.

길이가 같은 막대 2개를 초록색 페인트 통에 넣었다 뺐습니다. 페인트가 묻은 부분의 길이가 더 긴 막대에 ◯표 하세요.

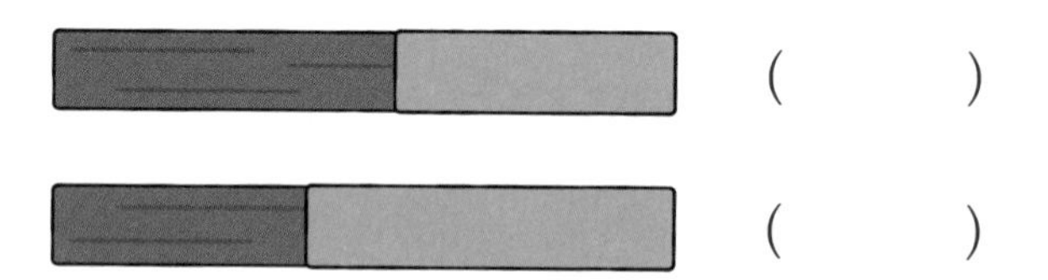

길이가 같은 막대 3개를 땅에 꽂았습니다. 땅 속에 묻힌 부분의 길이가 가장 긴 막대에 ◯표 하세요.

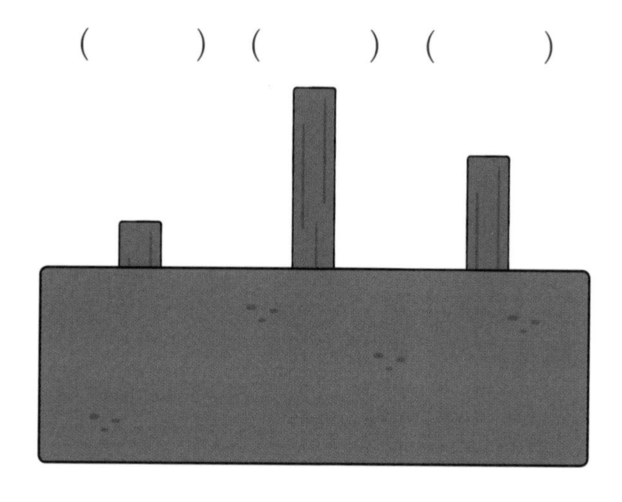

월 일

길이가 같은 막대 3개를 연못 바닥에 닿을 때까지 넣었습니다. 물음에 답하세요.

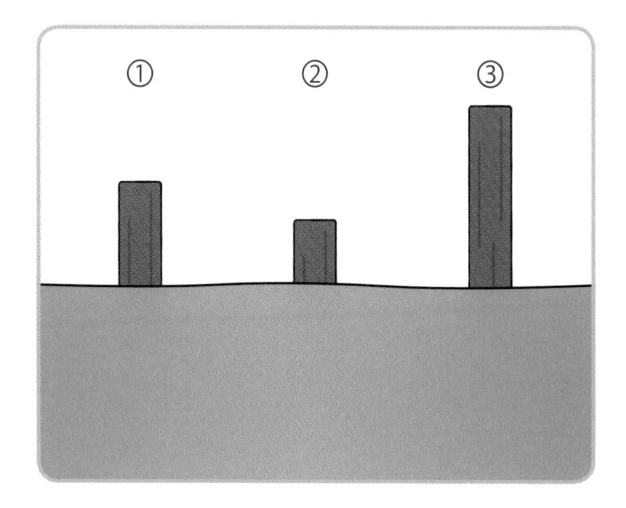

연못 위로 나온 부분의 길이가 가장 긴 막대의 번호를 써 보세요. (　　　　)

연못의 가장 얕은 곳에 닿은 막대의 번호를 써 보세요. (　　　　)

연못의 가장 깊은 곳에 닿은 막대의 번호를 써 보세요. (　　　　)

memo

형성평가

형성평가 1회

1 더 무거운 것에 ◯표 하세요.

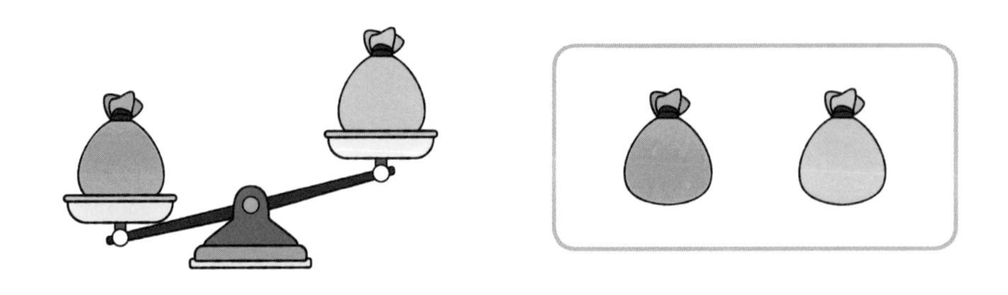

2 길이가 다른 색연필 하나를 찾아 ◯표 하세요.

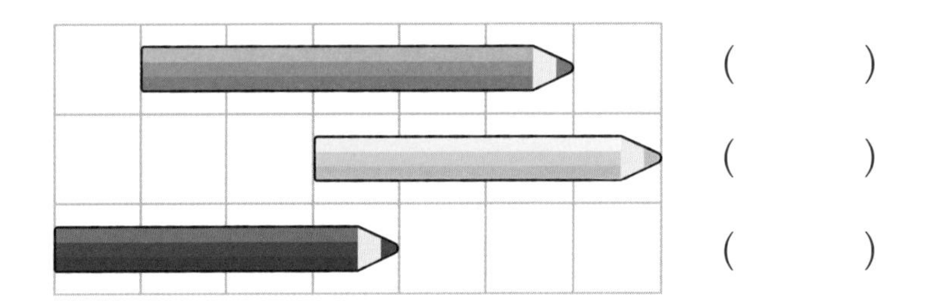

( )

( )

( )

3 설명을 보고 가장 가벼운 ◯ 모양에 ◯표 하세요.

• ◯은 가장 무겁습니다.

• ◯은 ◯보다 더 가볍습니다.

4 컵 1개와 추 2개의 무게가 같습니다. 추 1개를 빼면 양팔저울은 어떻게 움직이는지 알맞은 말에 ○표 하세요.

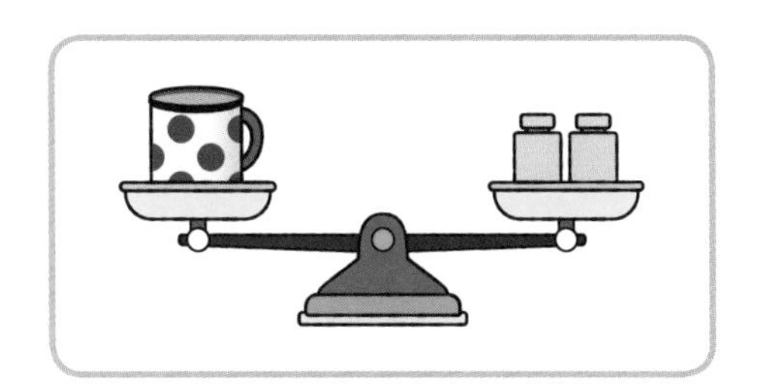

컵쪽이 내려갑니다. ( )

추쪽이 내려갑니다. ( )

5 가장 가벼운 공부터 차례로 써 보세요.

테니스공

야구공

(, ,)

6 가위는 망치보다 더 짧고 못보다 더 깁니다. 가위, 망치, 못 중에서 가장 긴 것은 무엇일까요?

( )

형성평가 2회

1 더 짧은 막대에 △표 하세요.

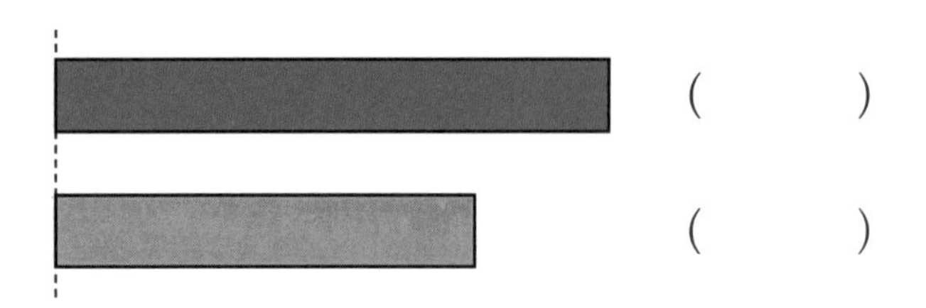

2 배와 사과를 똑같은 고무줄에 매달았습니다. 빈칸에 알맞은 말을 써넣으세요.

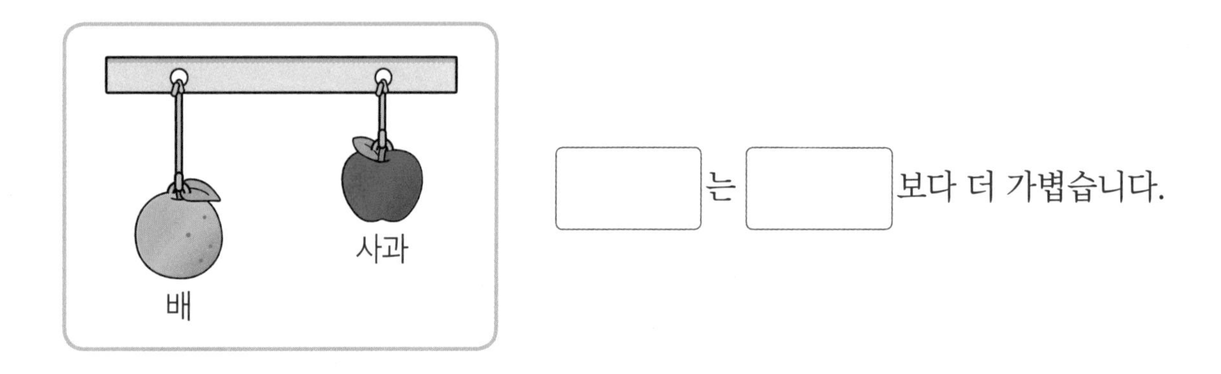

3 길이가 가장 짧은 막대부터 차례로 놓습니다. 빨간색 막대를 놓는 곳의 번호를 써 보세요.

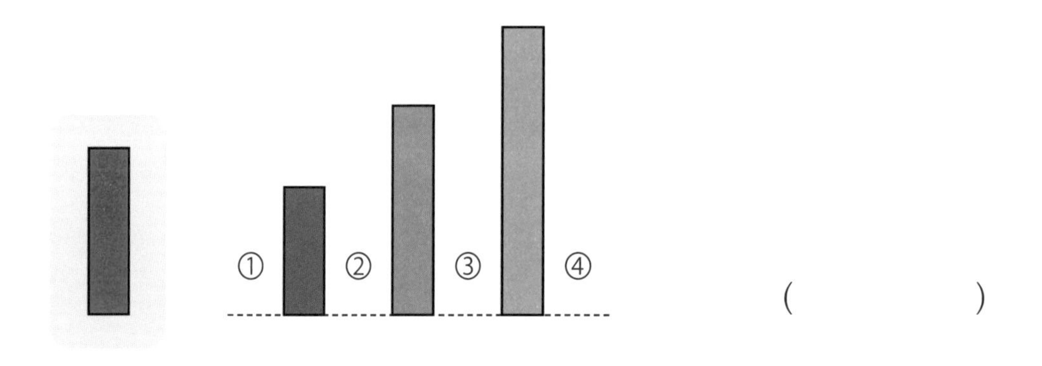

( )

4 가장 무거운 ◯ 모양의 번호를 써 보세요.

(　　　　　)

5 설명을 보고 막대를 알맞은 색깔로 색칠해 보세요.

빨간색 막대는 파란색 막대보다 더 길고 초록색 막대보다 더 짧습니다.

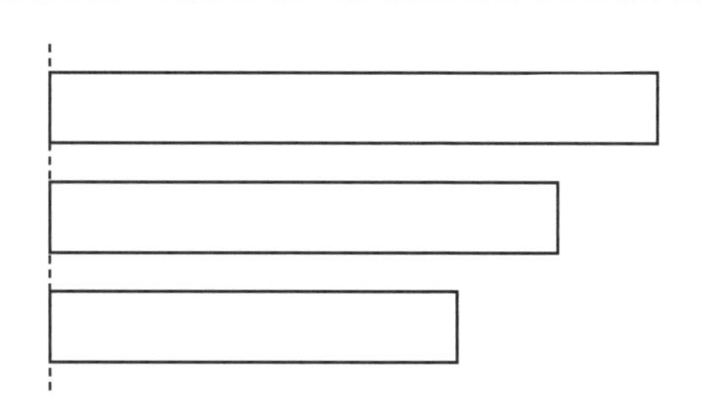

6 현수는 정우보다 더 무겁고 민재는 현수보다 더 무겁습니다. 현수, 정우, 민재 중 가장 가벼운 사람은 누구일까요?

(　　　　　)

memo

초등 수학 핵심파트 집중 완성

교과특강

7세~초1

P3

길이와 무게

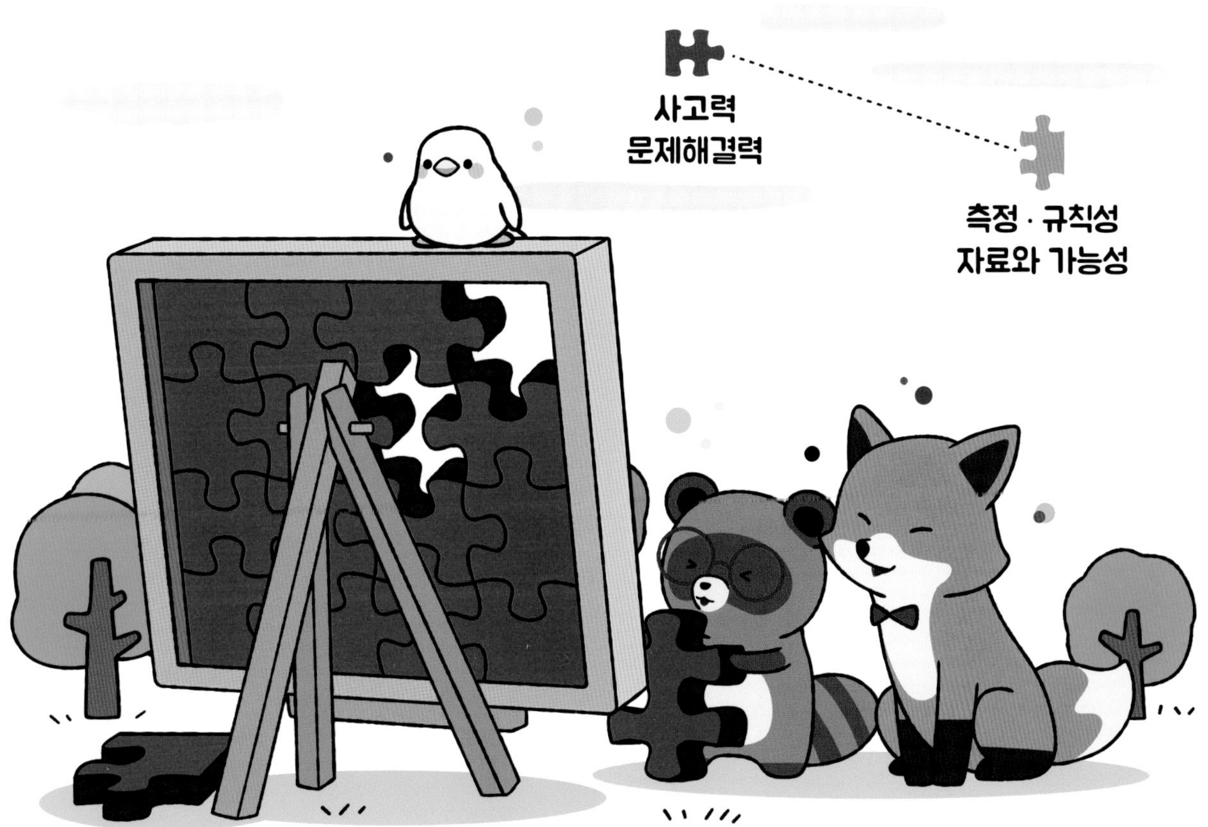

에듀히어로
Edu HERO

정답

P3

길이와 무게

정답

1주차: 길이 비교

8쪽·9쪽

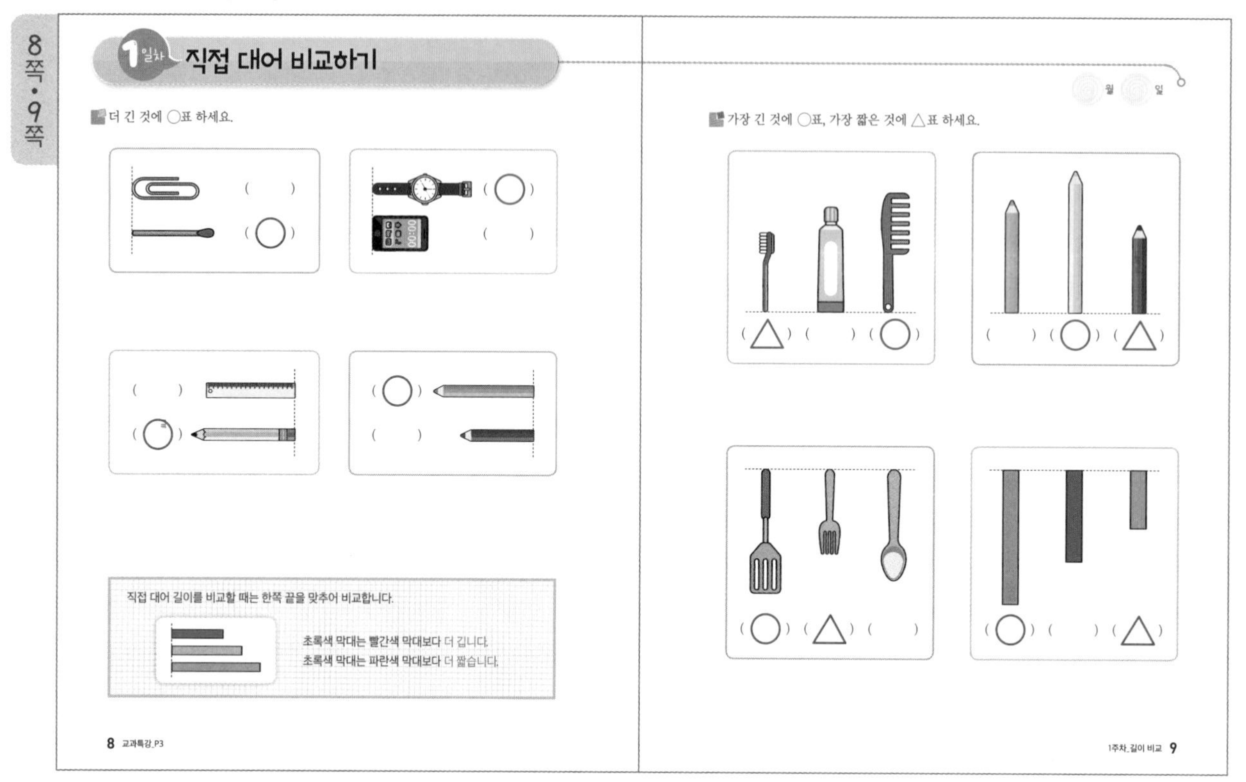

1일차 직접 대어 비교하기

더 긴 것에 ○표 하세요.

직접 대어 길이를 비교할 때는 한쪽 끝을 맞추어 비교합니다.

초록색 막대는 빨간색 막대보다 더 깁니다.
초록색 막대는 파란색 막대보다 더 짧습니다.

8 교과특강_P3

월 일

가장 긴 것에 ○표, 가장 짧은 것에 △표 하세요.

1주차_길이 비교 9

10쪽·11쪽

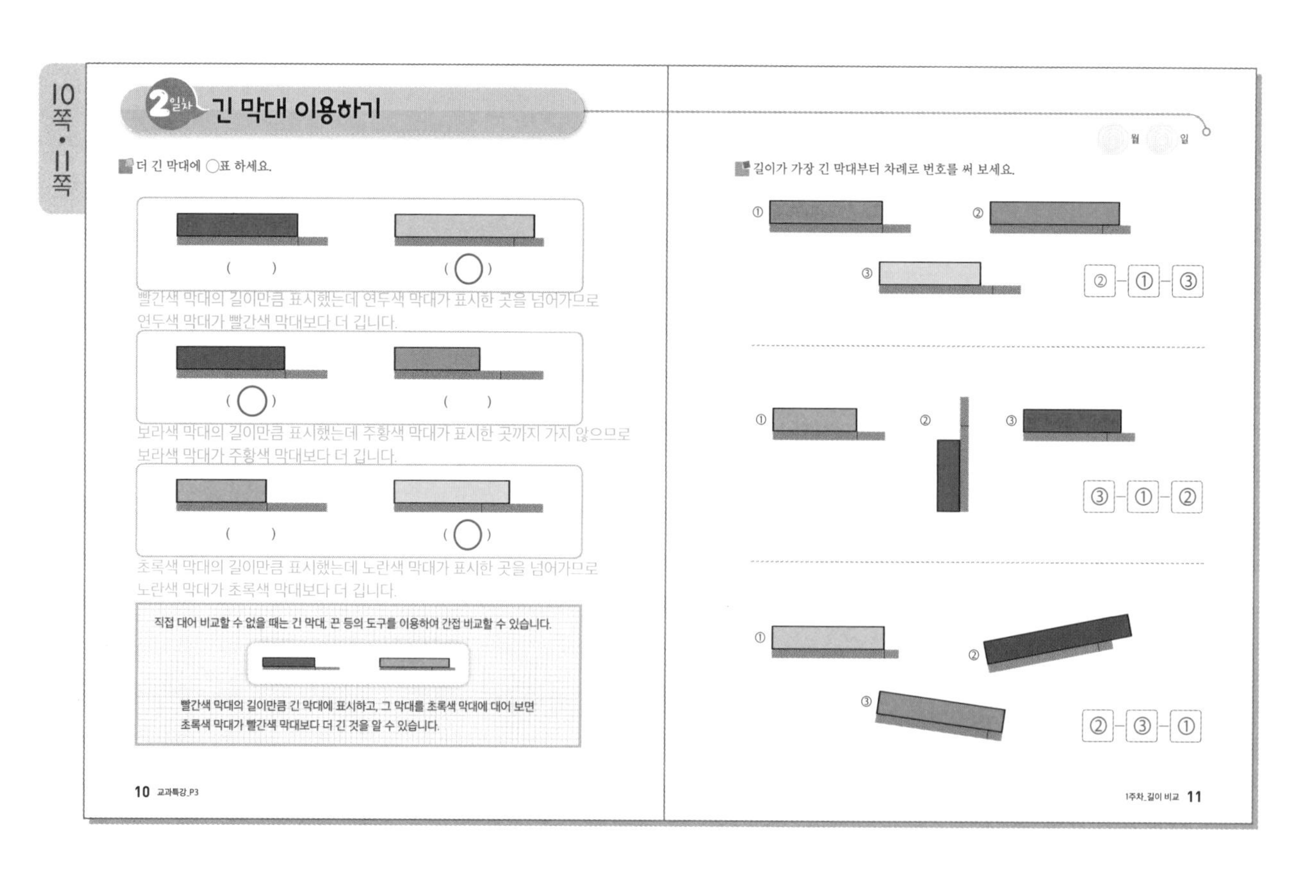

2일차 긴 막대 이용하기

더 긴 막대에 ○표 하세요.

빨간색 막대의 길이만큼 표시했는데 연두색 막대가 표시한 곳을 넘어가므로 연두색 막대가 빨간색 막대보다 더 깁니다.

보라색 막대의 길이만큼 표시했는데 주황색 막대가 표시한 곳까지 가지 않으므로 보라색 막대가 주황색 막대보다 더 깁니다.

초록색 막대의 길이만큼 표시했는데 노란색 막대가 표시한 곳을 넘어가므로 노란색 막대가 초록색 막대보다 더 깁니다.

직접 대어 비교할 수 없을 때는 긴 막대, 끈 등의 도구를 이용하여 간접 비교할 수 있습니다.

빨간색 막대의 길이만큼 긴 막대에 표시하고, 그 막대를 초록색 막대에 대어 보면 초록색 막대가 빨간색 막대보다 더 긴 것을 알 수 있습니다.

10 교과특강_P3

월 일

길이가 가장 긴 막대부터 차례로 번호를 써 보세요.

② - ① - ③

③ - ① - ②

② - ③ - ①

1주차_길이 비교 11

12쪽·13쪽

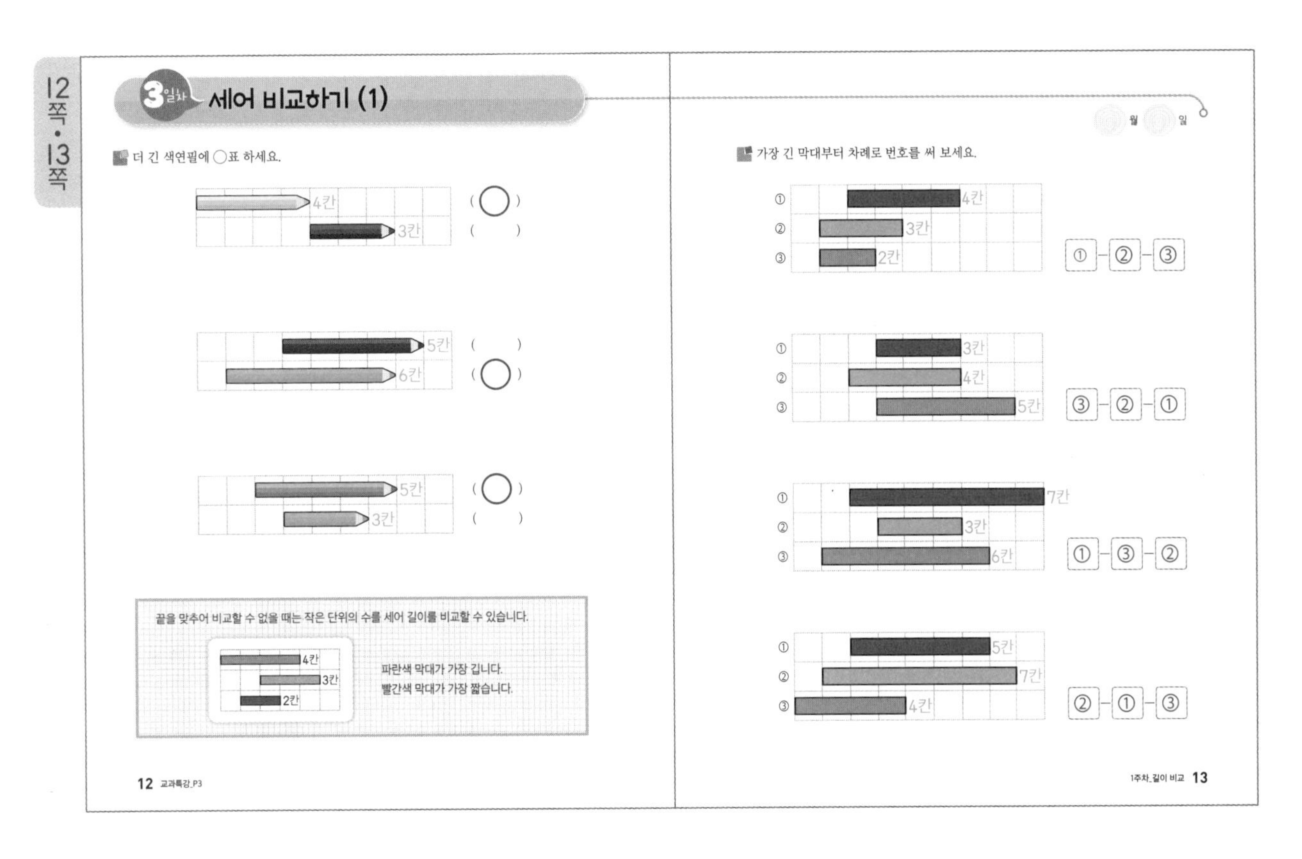

3일차 세어 비교하기 (1)

더 긴 색연필에 ○표 하세요.

4칸 (○)
3칸 ( )

5칸 ( )
6칸 (○)

5칸 (○)
3칸 ( )

끝을 맞추어 비교할 수 없을 때는 작은 단위의 수를 세어 길이를 비교할 수 있습니다.

4칸
3칸
2칸

파란색 막대가 가장 깁니다.
빨간색 막대가 가장 짧습니다.

12 교과특강_P3

월 일

가장 긴 막대부터 차례로 번호를 써 보세요.

① 4칸
② 3칸
③ 2칸
①-②-③

① 3칸
② 4칸
③ 5칸
③-②-①

① 7칸
② 3칸
③ 6칸
①-③-②

① 5칸
② 7칸
③ 4칸
②-①-③

1주차_길이 비교 13

14쪽·15쪽

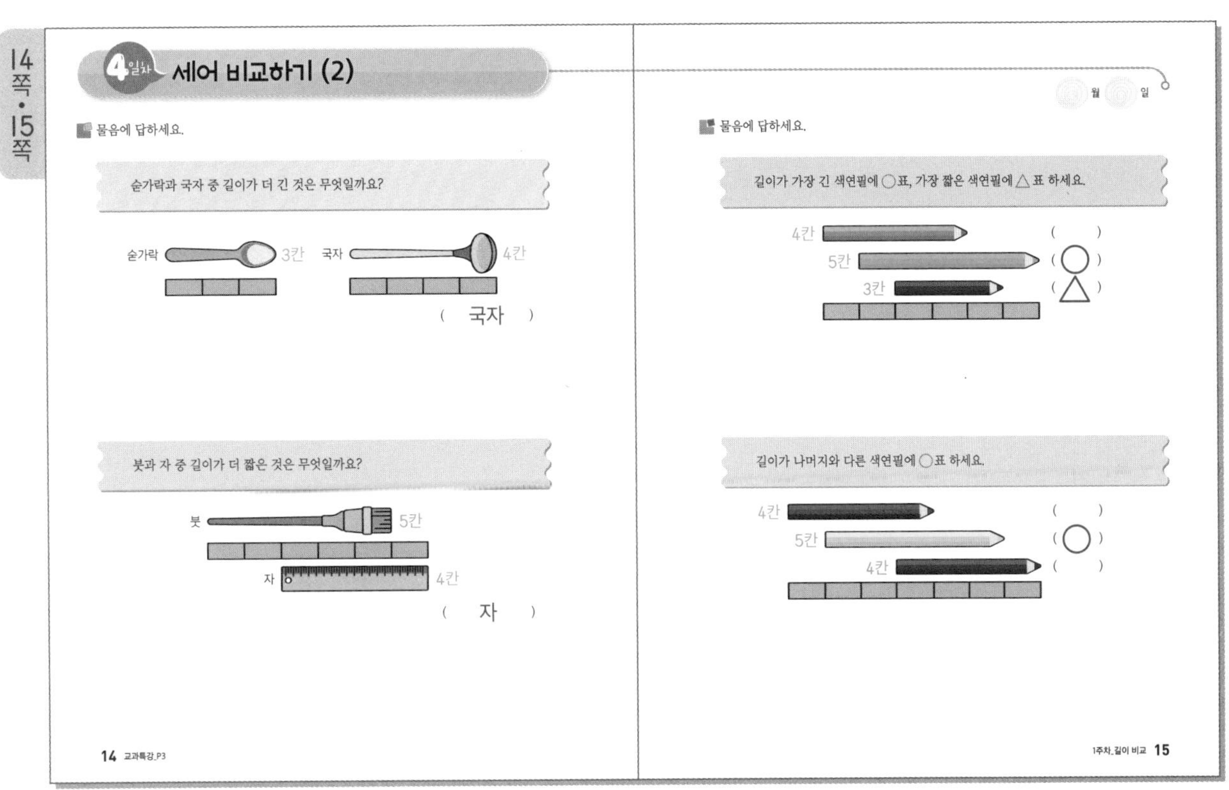

4일차 세어 비교하기 (2)

물음에 답하세요.

숟가락과 국자 중 길이가 더 긴 것은 무엇일까요?

숟가락 3칸 국자 4칸

(국자)

붓과 자 중 길이가 더 짧은 것은 무엇일까요?

붓 5칸
자 4칸

(자)

14 교과특강_P3

월 일

물음에 답하세요.

길이가 가장 긴 색연필에 ○표, 가장 짧은 색연필에 △표 하세요.

4칸 ( )
5칸 (○)
3칸 (△)

길이가 나머지와 다른 색연필에 ○표 하세요.

4칸 ( )
5칸 (○)
4칸 ( )

1주차_길이 비교 15

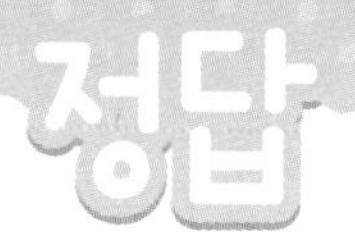
정답

16쪽·17쪽

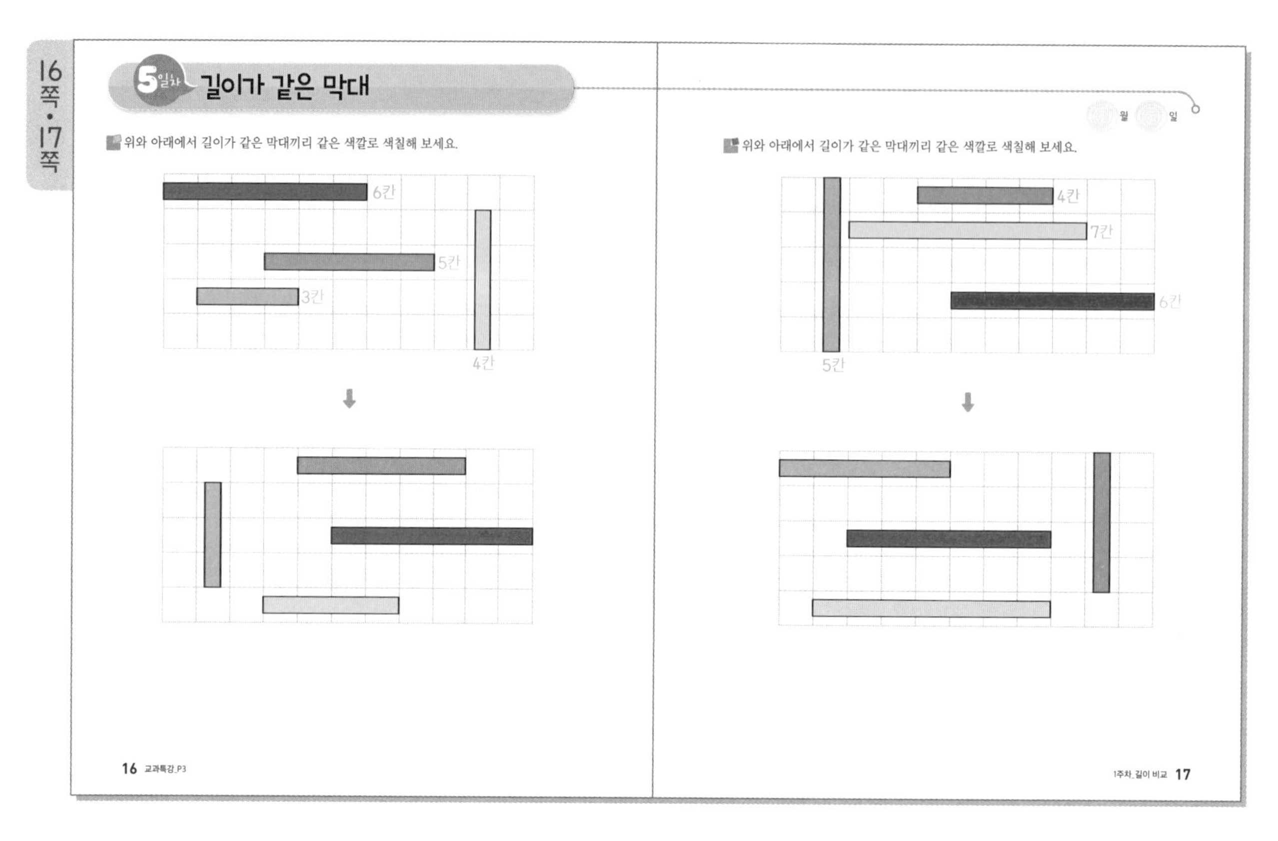
5일차 길이가 같은 막대
위와 아래에서 길이가 같은 막대끼리 같은 색깔로 색칠해 보세요.
6칸
5칸
3칸
4칸
월 일
위와 아래에서 길이가 같은 막대끼리 같은 색깔로 색칠해 보세요.
4칸
7칸
6칸
5칸
16 교과특강_P3
1주차_길이 비교 17

18쪽

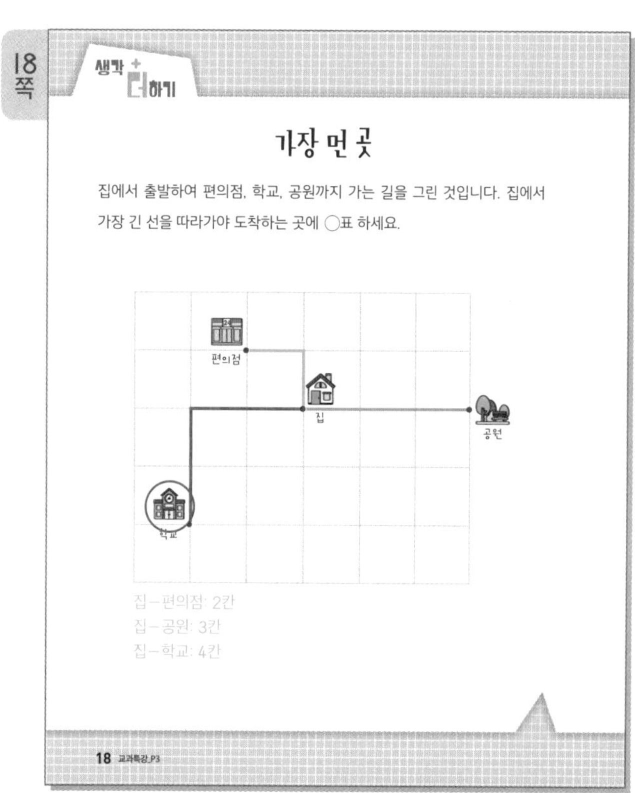
생각 더하기
가장 먼 곳
집에서 출발하여 편의점, 학교, 공원까지 가는 길을 그린 것입니다. 집에서 가장 긴 선을 따라가야 도착하는 곳에 ○표 하세요.
편의점
집
공원
학교
집－편의점: 2칸
집－공원: 3칸
집－학교: 4칸
18 교과특강_P3

2주차: 3가지 길이

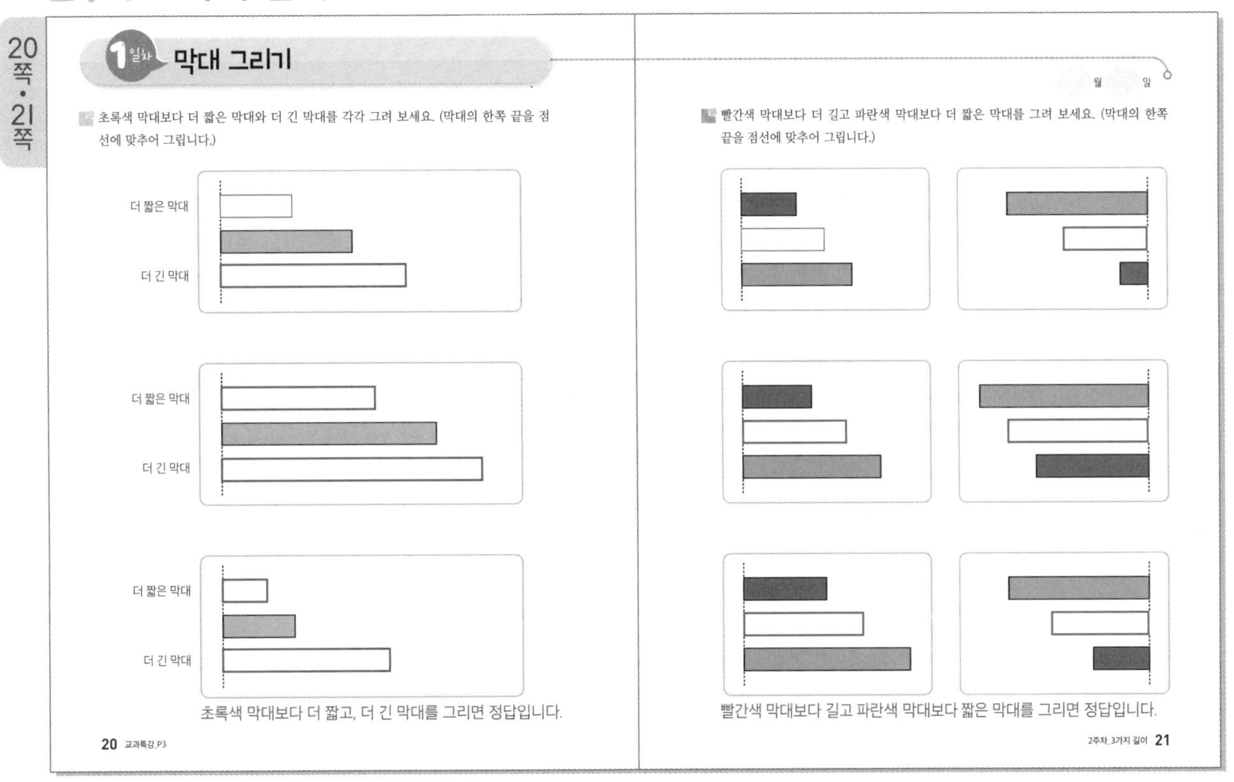
20쪽 • 21쪽

1일차 막대 그리기

초록색 막대보다 더 짧은 막대와 더 긴 막대를 각각 그려 보세요. (막대의 한쪽 끝을 점선에 맞추어 그립니다.)

더 짧은 막대
더 긴 막대

더 짧은 막대
더 긴 막대

더 짧은 막대
더 긴 막대

초록색 막대보다 더 짧고, 더 긴 막대를 그리면 정답입니다.

빨간색 막대보다 더 길고 파란색 막대보다 더 짧은 막대를 그려 보세요. (막대의 한쪽 끝을 점선에 맞추어 그립니다.)

빨간색 막대보다 길고 파란색 막대보다 짧은 막대를 그리면 정답입니다.

20 교과특강_P3

2주차_3가지 길이 21

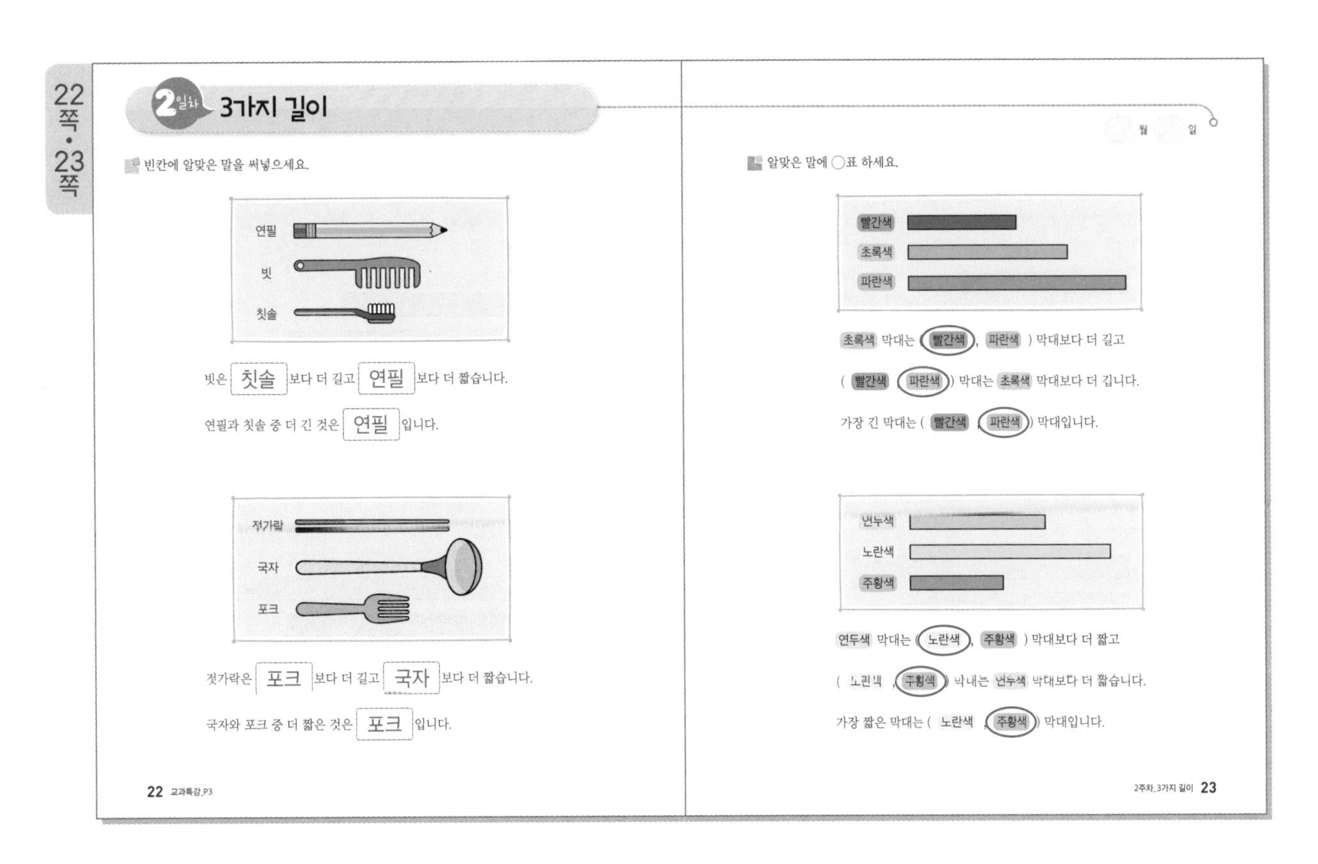
22쪽 • 23쪽

2일차 3가지 길이

빈칸에 알맞은 말을 써넣으세요.

빗은 칫솔 보다 더 길고 연필 보다 더 짧습니다.

연필과 칫솔 중 더 긴 것은 연필 입니다.

젓가락은 포크 보다 더 길고 국자 보다 더 짧습니다.

국자와 포크 중 더 짧은 것은 포크 입니다.

알맞은 말에 ○표 하세요.

초록색 막대는 (빨간색, 파란색) 막대보다 더 길고

(빨간색, 파란색) 막대는 초록색 막대보다 더 깁니다.

가장 긴 막대는 (빨간색, 파란색) 막대입니다.

연두색 막대는 (노란색, 주황색) 막대보다 더 짧고

(노란색, 주황색) 막대는 연두색 막대보다 더 짧습니다.

가장 짧은 막대는 (노란색, 주황색) 막대입니다.

22 교과특강_P3

2주차_3가지 길이 23

24쪽 · 25쪽

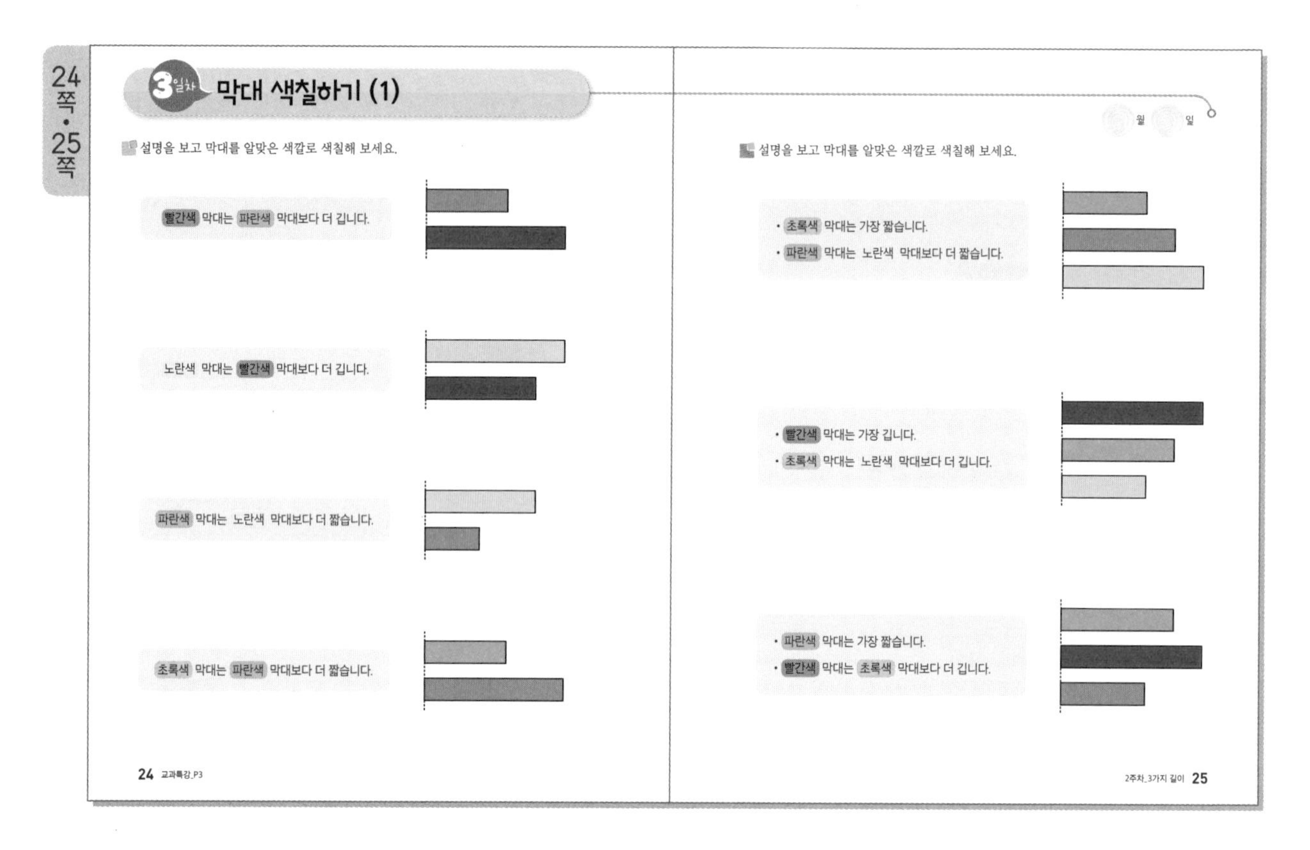

3일차 막대 색칠하기 (1)
설명을 보고 막대를 알맞은 색깔로 색칠해 보세요.
빨간색 막대는 파란색 막대보다 더 깁니다.
노란색 막대는 빨간색 막대보다 더 깁니다.
파란색 막대는 노란색 막대보다 더 짧습니다.
초록색 막대는 파란색 막대보다 더 짧습니다.
설명을 보고 막대를 알맞은 색깔로 색칠해 보세요.
• 초록색 막대는 가장 짧습니다.
• 파란색 막대는 노란색 막대보다 더 짧습니다.
• 빨간색 막대는 가장 깁니다.
• 초록색 막대는 노란색 막대보다 더 깁니다.
• 파란색 막대는 가장 짧습니다.
• 빨간색 막대는 초록색 막대보다 더 깁니다.
24 교과특강_P3
2주차_3가지 길이 25

26쪽 · 27쪽

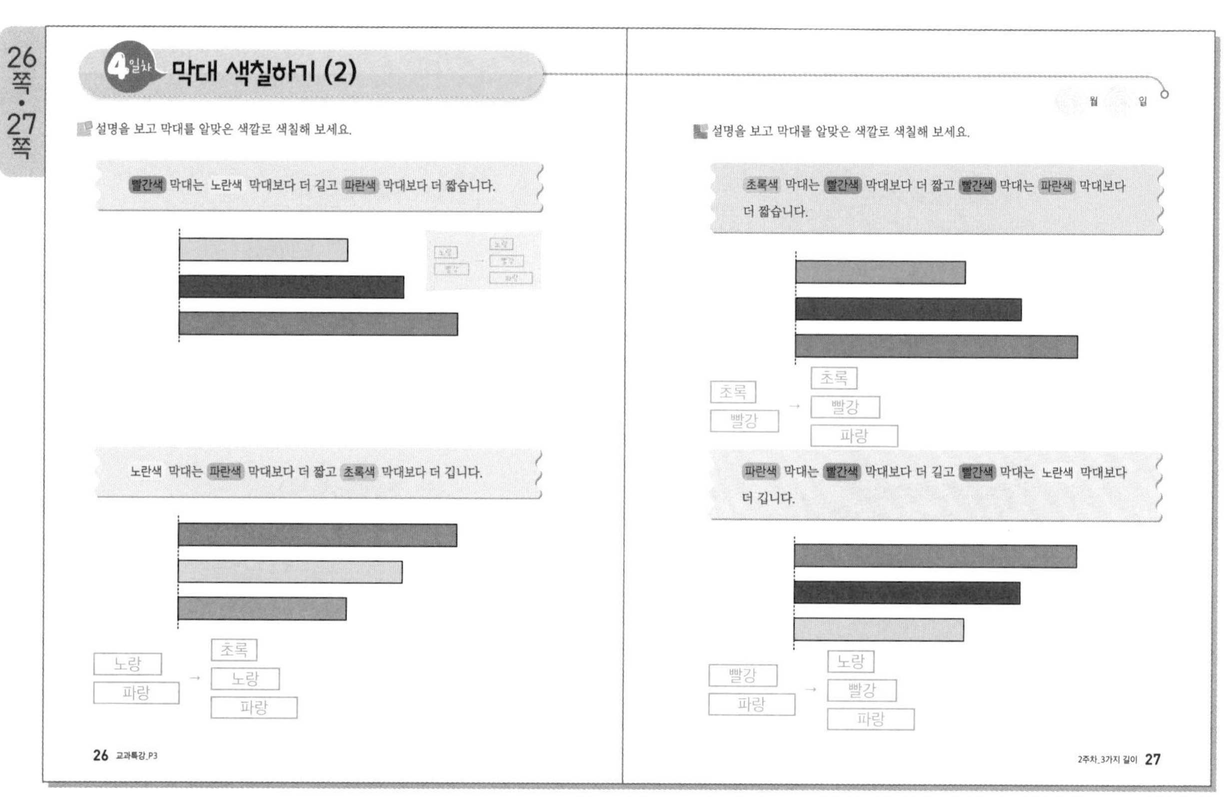

4일차 막대 색칠하기 (2)
설명을 보고 막대를 알맞은 색깔로 색칠해 보세요.
빨간색 막대는 노란색 막대보다 더 길고 파란색 막대보다 더 짧습니다.
노란색 막대는 파란색 막대보다 더 짧고 초록색 막대보다 더 깁니다.
노랑
파랑
초록
노랑
파랑
26 교과특강_P3
설명을 보고 막대를 알맞은 색깔로 색칠해 보세요.
초록색 막대는 빨간색 막대보다 더 짧고 빨간색 막대는 파란색 막대보다 더 짧습니다.
초록
빨강
초록
빨강
파랑
파란색 막대는 빨간색 막대보다 더 길고 빨간색 막대는 노란색 막대보다 더 깁니다.
빨강
파랑
노랑
빨강
파랑
2주차_3가지 길이 27

28쪽·29쪽

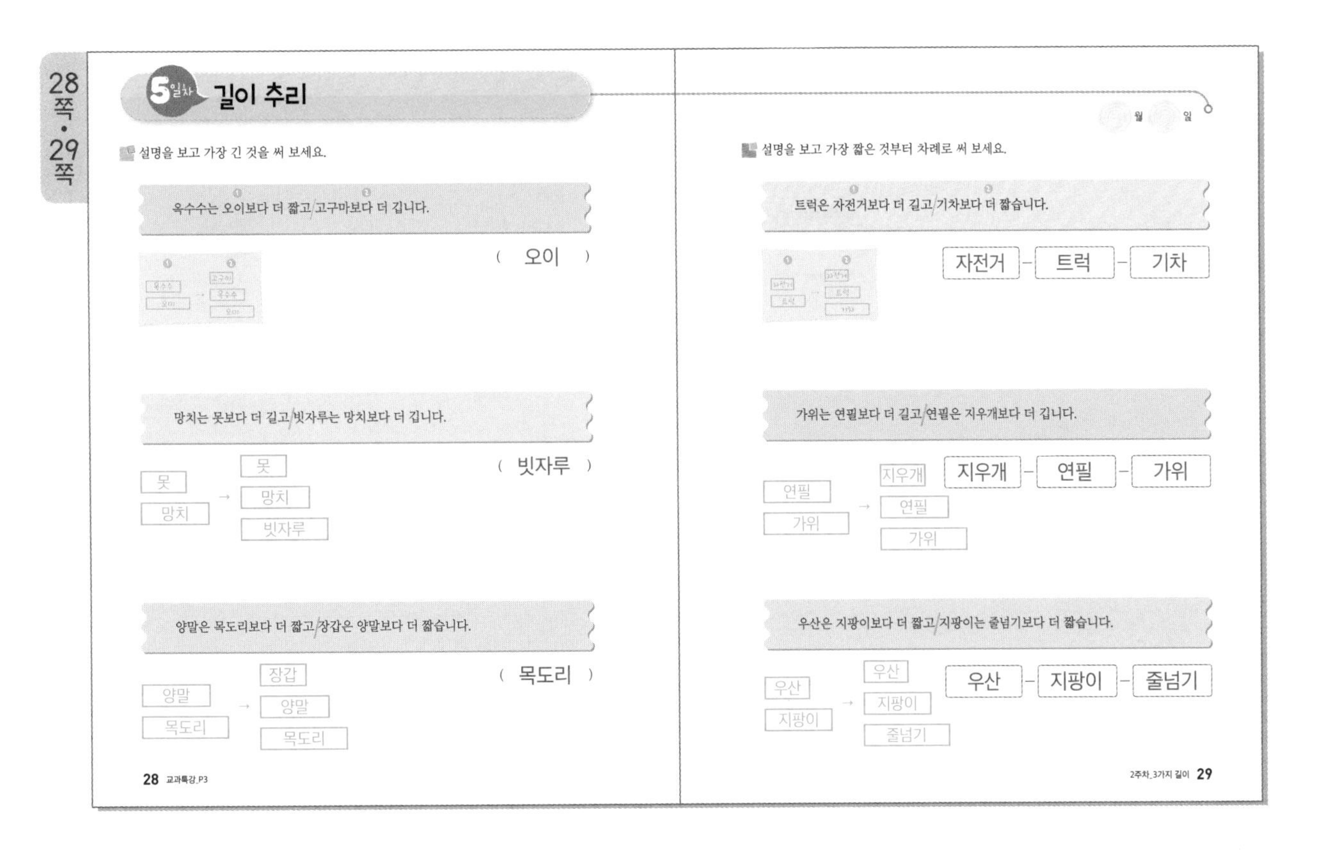
5일차 길이 추리
설명을 보고 가장 긴 것을 써 보세요.
옥수수는 오이보다 더 짧고/고구마보다 더 깁니다.
(오이)
망치는 못보다 더 길고/빗자루는 망치보다 더 깁니다.
못
망치
못
망치
빗자루
(빗자루)
양말은 목도리보다 더 짧고/장갑은 양말보다 더 짧습니다.
양말
목도리
장갑
양말
목도리
(목도리)
28 교과특강_P3
설명을 보고 가장 짧은 것부터 차례로 써 보세요.
트럭은 자전거보다 더 길고/기차보다 더 짧습니다.
자전거 - 트럭 - 기차
가위는 연필보다 더 길고/연필은 지우개보다 더 깁니다.
연필
가위
지우개
연필
가위
지우개 - 연필 - 가위
우산은 지팡이보다 더 짧고/지팡이는 줄넘기보다 더 짧습니다.
우산
지팡이
우산
지팡이
줄넘기
우산 - 지팡이 - 줄넘기
2주차_3가지 길이 29

30쪽

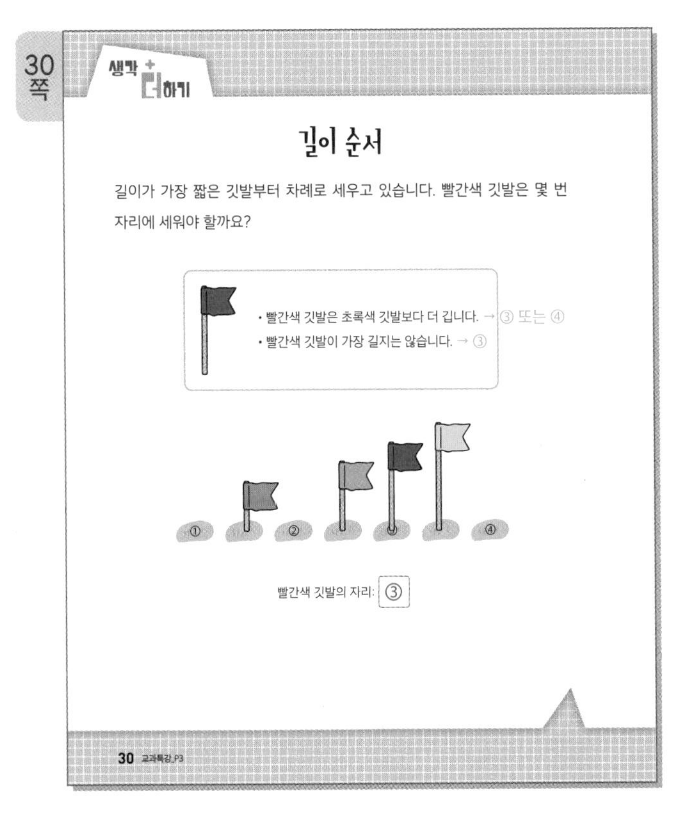
생각 더하기
길이 순서
길이가 가장 짧은 깃발부터 차례로 세우고 있습니다. 빨간색 깃발은 몇 번 자리에 세워야 할까요?
• 빨간색 깃발은 초록색 깃발보다 더 깁니다. → ③ 또는 ④
• 빨간색 깃발이 가장 길지는 않습니다. → ③
①
②
③
④
빨간색 깃발의 자리: ③
30 교과특강_P3

정답

3주차: 무게 비교

32쪽·33쪽

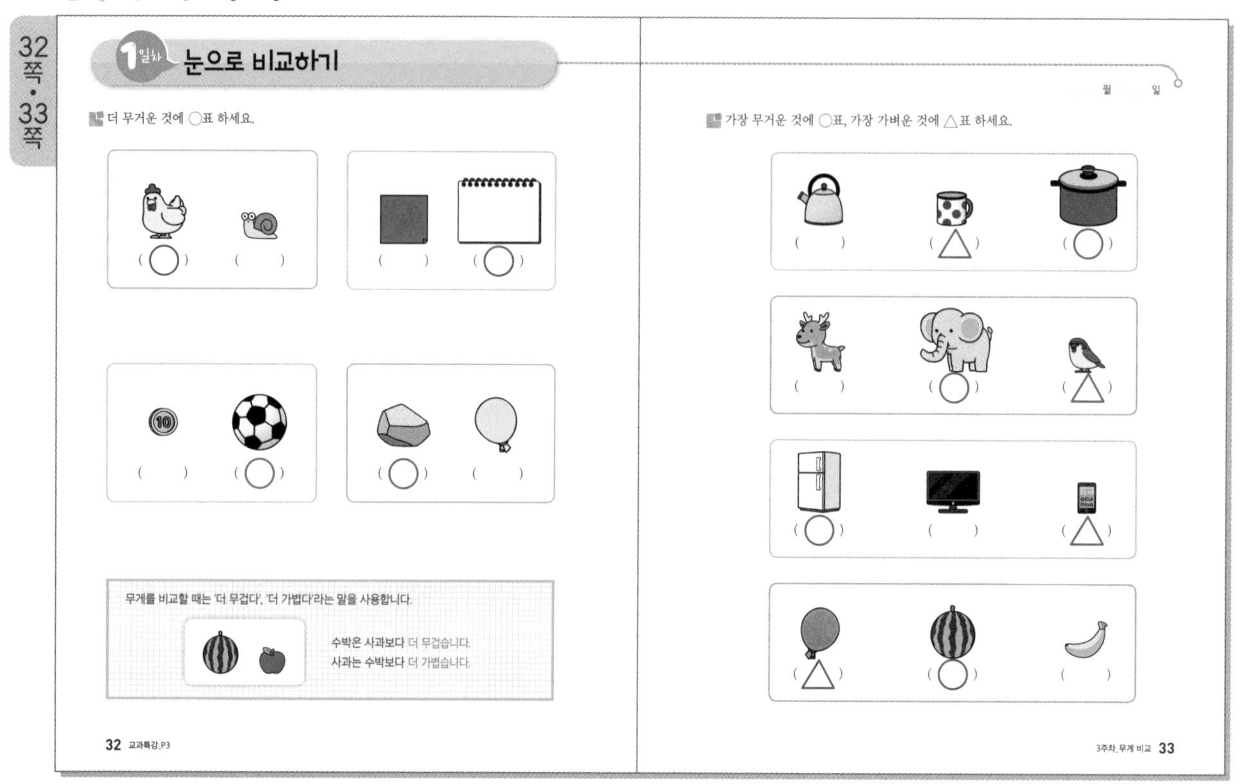

1일차 눈으로 비교하기
더 무거운 것에 ○표 하세요.
무게를 비교할 때는 '더 무겁다', '더 가볍다'라는 말을 사용합니다.
수박은 사과보다 더 무겁습니다.
사과는 수박보다 더 가볍습니다.
32 교과특강_P3
월 일
가장 무거운 것에 ○표, 가장 가벼운 것에 △표 하세요.
3주차_무게 비교 33

34쪽·35쪽

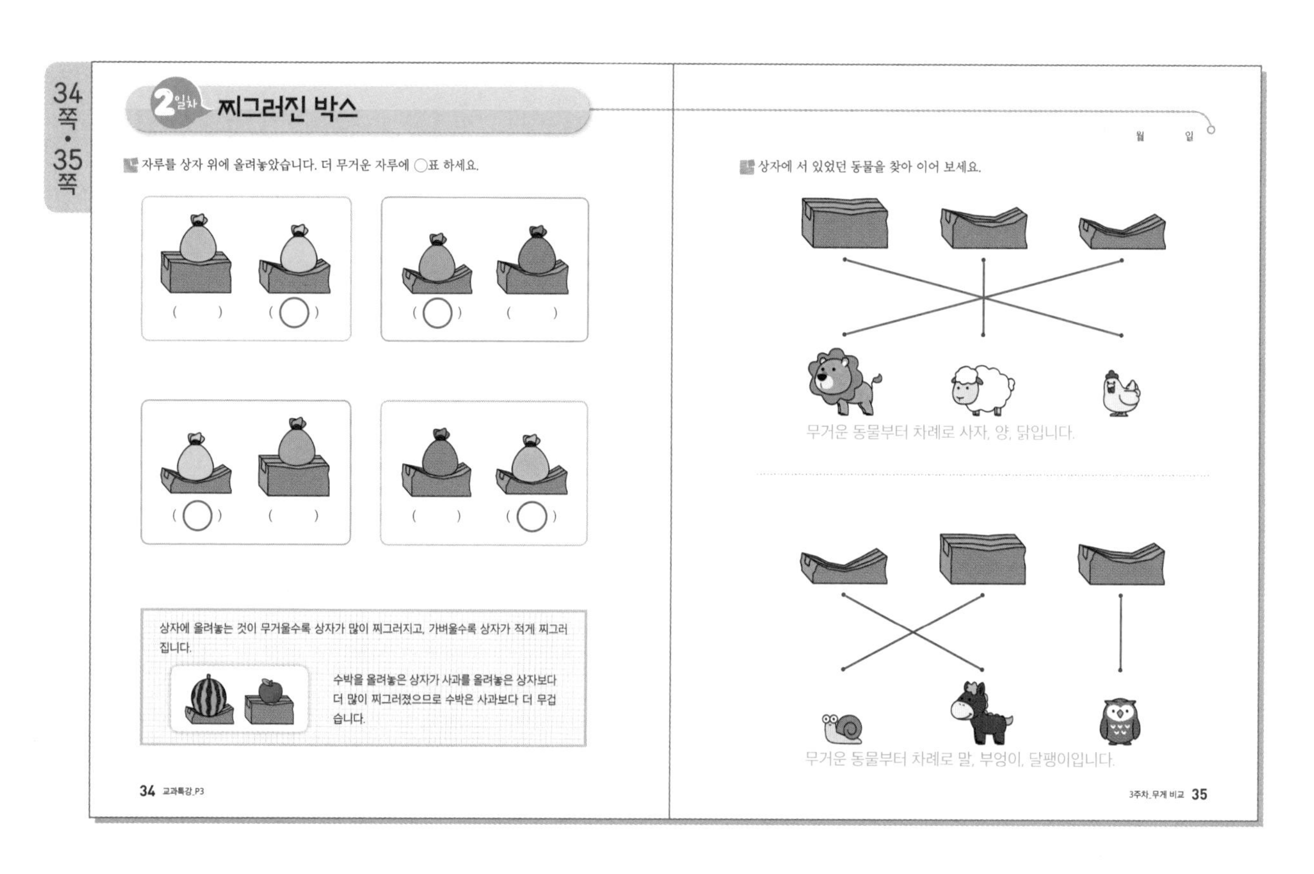

2일차 찌그러진 박스
자루를 상자 위에 올려놓았습니다. 더 무거운 자루에 ○표 하세요.
상자에 올려놓는 것이 무거울수록 상자가 많이 찌그러지고, 가벼울수록 상자가 적게 찌그러집니다.
수박을 올려놓은 상자가 사과를 올려놓은 상자보다 더 많이 찌그러졌으므로 수박은 사과보다 더 무겁습니다.
34 교과특강_P3
월 일
상자에 서 있었던 동물을 찾아 이어 보세요.
무거운 동물부터 차례로 사자, 양, 닭입니다.
무거운 동물부터 차례로 말, 부엉이, 달팽이입니다.
3주차_무게 비교 35

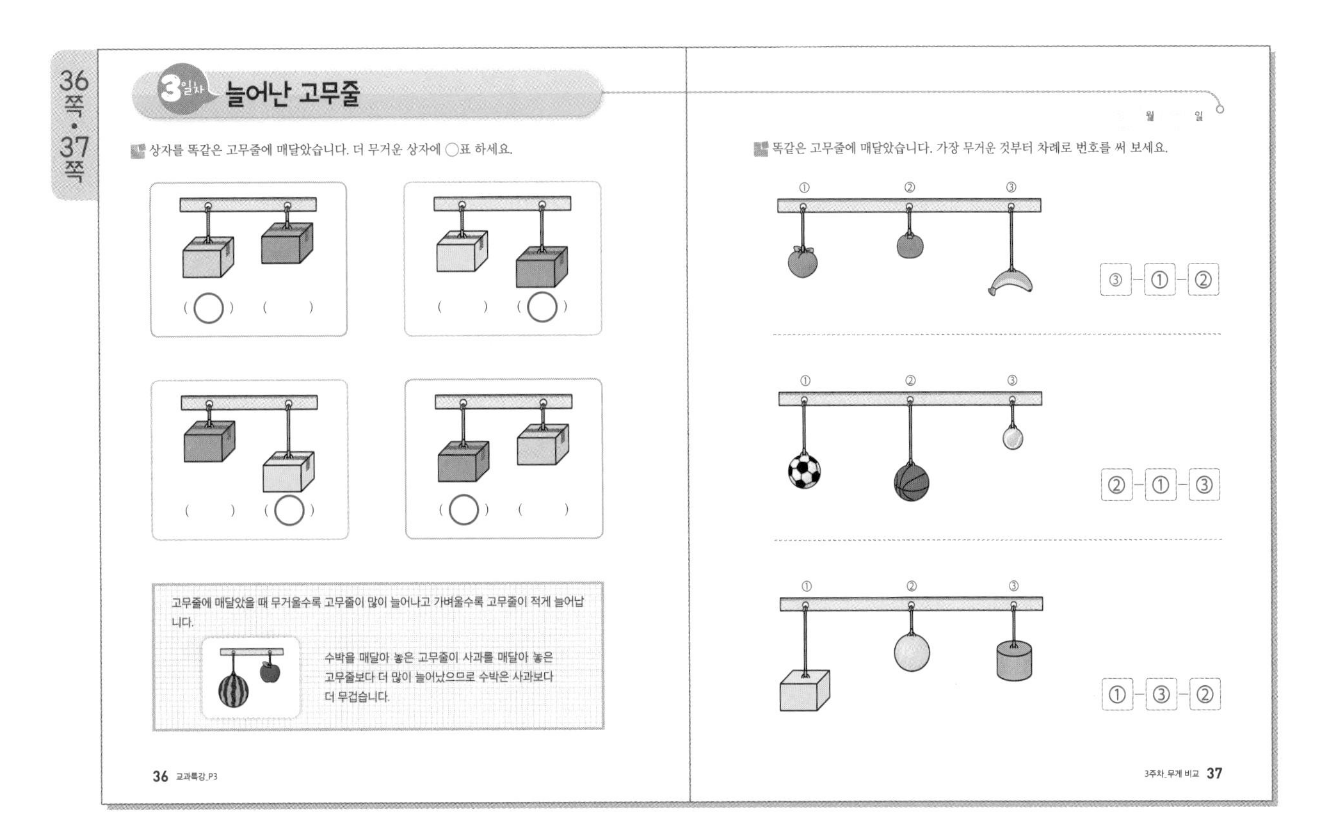
36쪽·37쪽
3일차 늘어난 고무줄
상자를 똑같은 고무줄에 매달았습니다. 더 무거운 상자에 ○표 하세요.
고무줄에 매달았을 때 무거울수록 고무줄이 많이 늘어나고 가벼울수록 고무줄이 적게 늘어납니다.
수박을 매달아 놓은 고무줄이 사과를 매달아 놓은 고무줄보다 더 많이 늘어났으므로 수박은 사과보다 더 무겁습니다.
36 교과특강_P3
월 일
똑같은 고무줄에 매달았습니다. 가장 무거운 것부터 차례로 번호를 써 보세요.
③ - ① - ②
② - ① - ③
① - ③ - ②
3주차_무게 비교 37

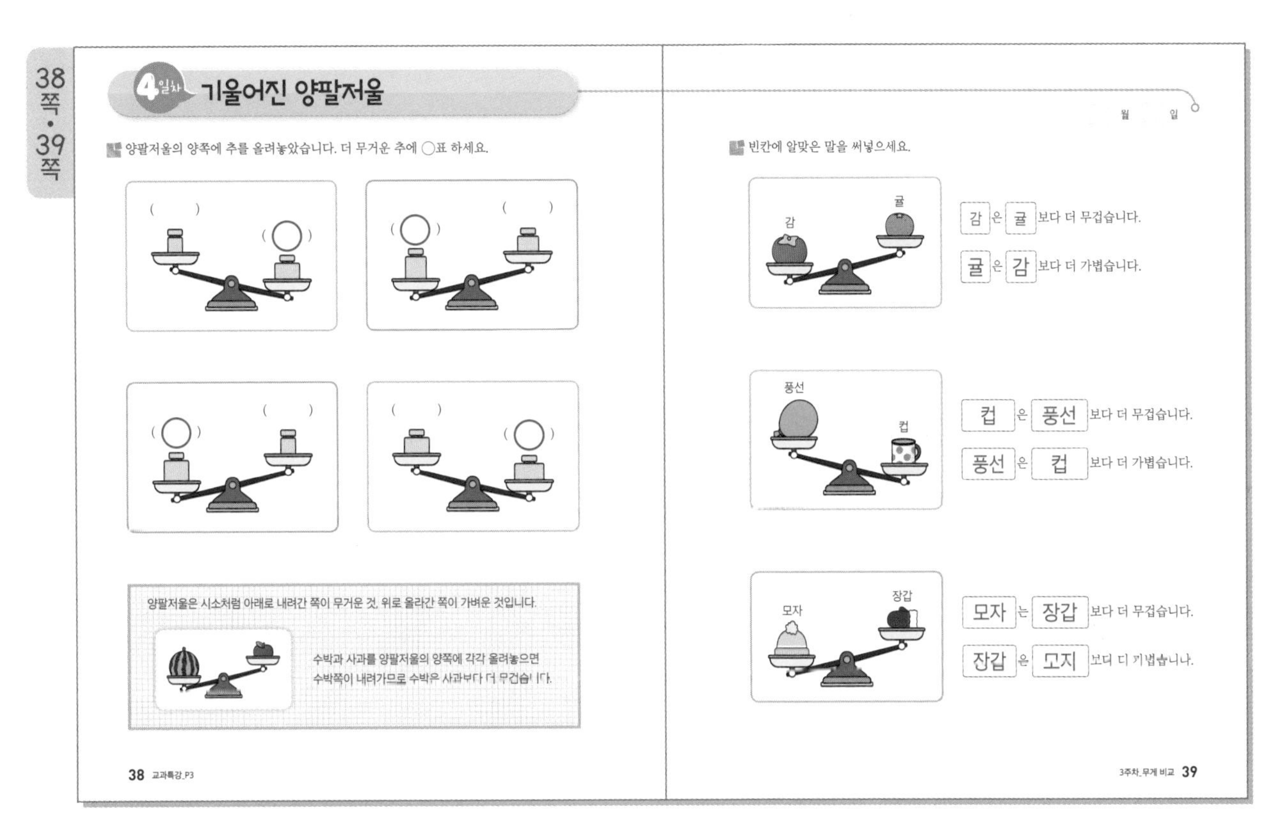
38쪽·39쪽
4일차 기울어진 양팔저울
양팔저울의 양쪽에 추를 올려놓았습니다. 더 무거운 추에 ○표 하세요.
양팔저울은 시소처럼 아래로 내려간 쪽이 무거운 것, 위로 올라간 쪽이 가벼운 것입니다.
수박과 사과를 양팔저울의 양쪽에 각각 올려놓으면 수박쪽이 내려가므로 수박은 사과보다 더 무겁습니다.
38 교과특강_P3
월 일
빈칸에 알맞은 말을 써넣으세요.
감 귤
감 은 귤 보다 더 무겁습니다.
귤 은 감 보다 더 가볍습니다.
풍선 컵
컵 은 풍선 보다 더 무겁습니다.
풍선 은 컵 보다 더 가볍습니다.
모자 장갑
모자 는 장갑 보다 더 무겁습니다.
장갑 은 모자 보다 더 가볍습니다.
3주차_무게 비교 39

40쪽·41쪽

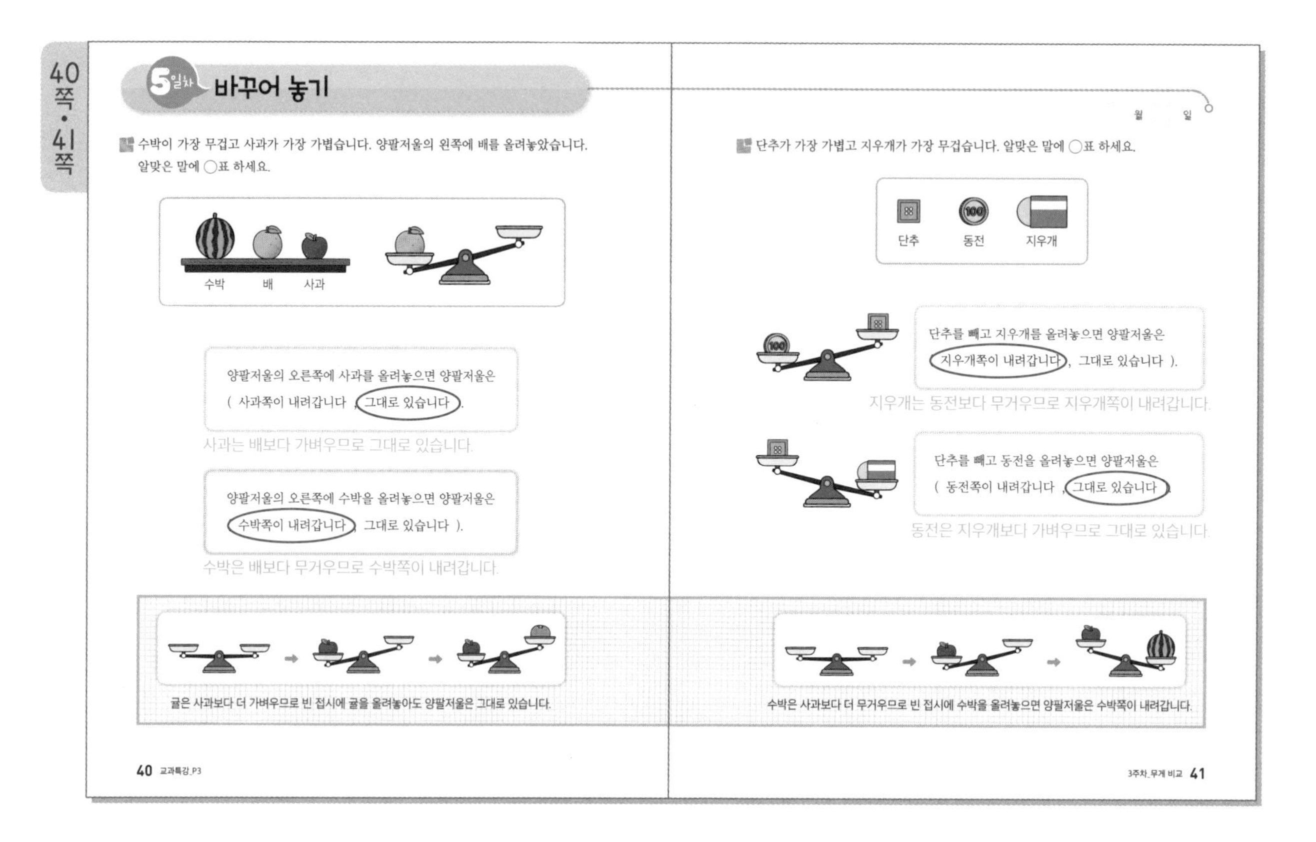
5일차 바꾸어 놓기
수박이 가장 무겁고 사과가 가장 가볍습니다. 양팔저울의 왼쪽에 배를 올려놓았습니다. 알맞은 말에 ○표 하세요.
수박 배 사과
양팔저울의 오른쪽에 사과를 올려놓으면 양팔저울은 (사과쪽이 내려갑니다 , 그대로 있습니다).
사과는 배보다 가벼우므로 그대로 있습니다.
양팔저울의 오른쪽에 수박을 올려놓으면 양팔저울은 (수박쪽이 내려갑니다 , 그대로 있습니다).
수박은 배보다 무거우므로 수박쪽이 내려갑니다.
단추가 가장 가볍고 지우개가 가장 무겁습니다. 알맞은 말에 ○표 하세요.
단추 동전 지우개
단추를 빼고 지우개를 올려놓으면 양팔저울은 (지우개쪽이 내려갑니다 , 그대로 있습니다).
지우개는 동전보다 무거우므로 지우개쪽이 내려갑니다.
단추를 빼고 동전을 올려놓으면 양팔저울은 (동전쪽이 내려갑니다 , 그대로 있습니다).
동전은 지우개보다 가벼우므로 그대로 있습니다.
귤은 사과보다 더 가벼우므로 빈 접시에 귤을 올려놓아도 양팔저울은 그대로 있습니다.
수박은 사과보다 더 무거우므로 빈 접시에 수박을 올려놓으면 양팔저울은 수박쪽이 내려갑니다.
40 교과특강_P3
3주차_무게 비교 41

42쪽

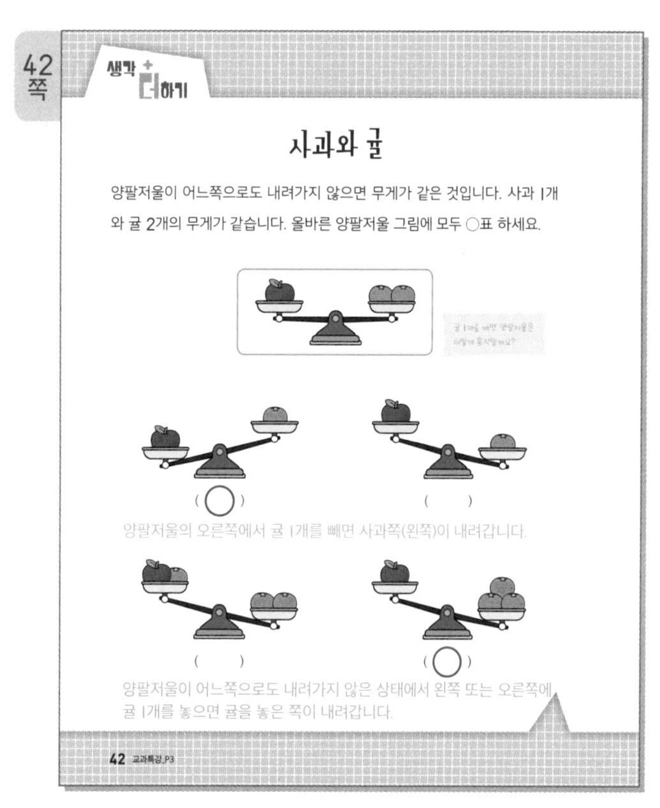
생각 더하기
사과와 귤
양팔저울이 어느쪽으로도 내려가지 않으면 무게가 같은 것입니다. 사과 1개와 귤 2개의 무게가 같습니다. 올바른 양팔저울 그림에 모두 ○표 하세요.
(○) ( )
양팔저울의 오른쪽에서 귤 1개를 빼면 사과쪽(왼쪽)이 내려갑니다.
( ) (○)
양팔저울이 어느쪽으로도 내려가지 않은 상태에서 왼쪽 또는 오른쪽에 귤 1개를 놓으면 귤을 놓은 쪽이 내려갑니다.
42 교과특강_P3

4주차: 3가지 무게

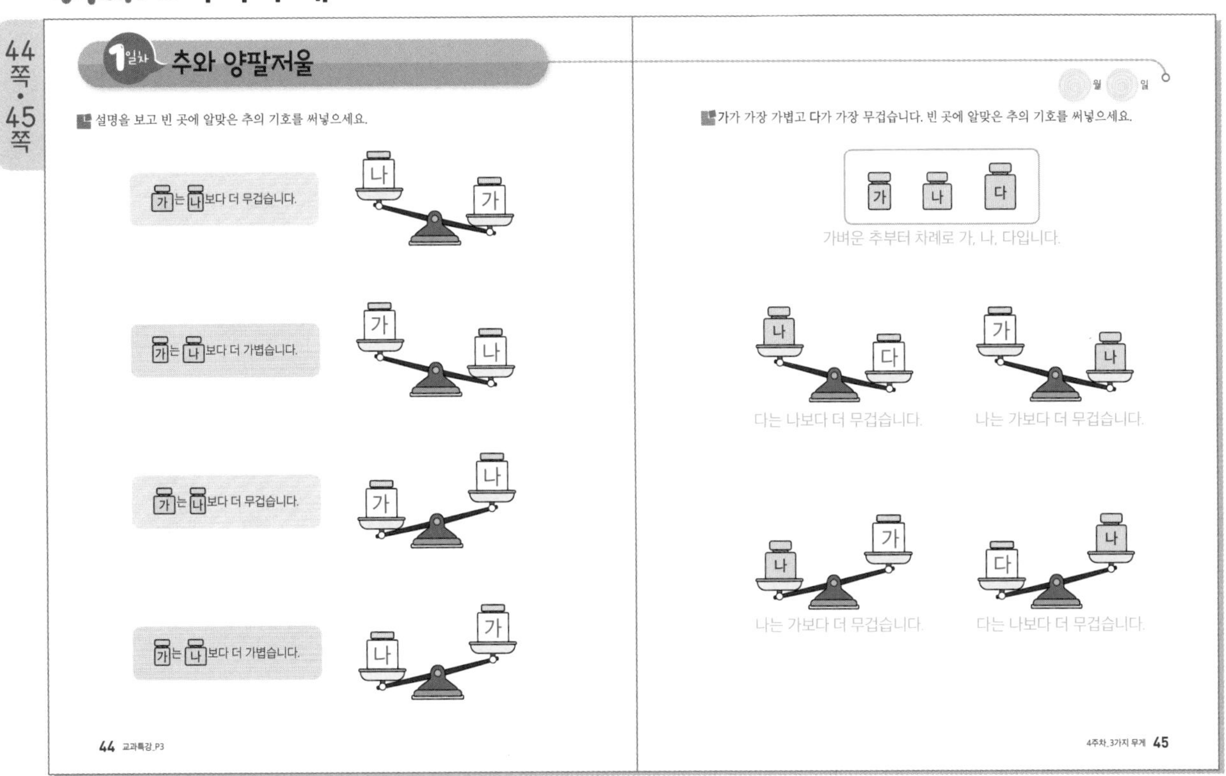

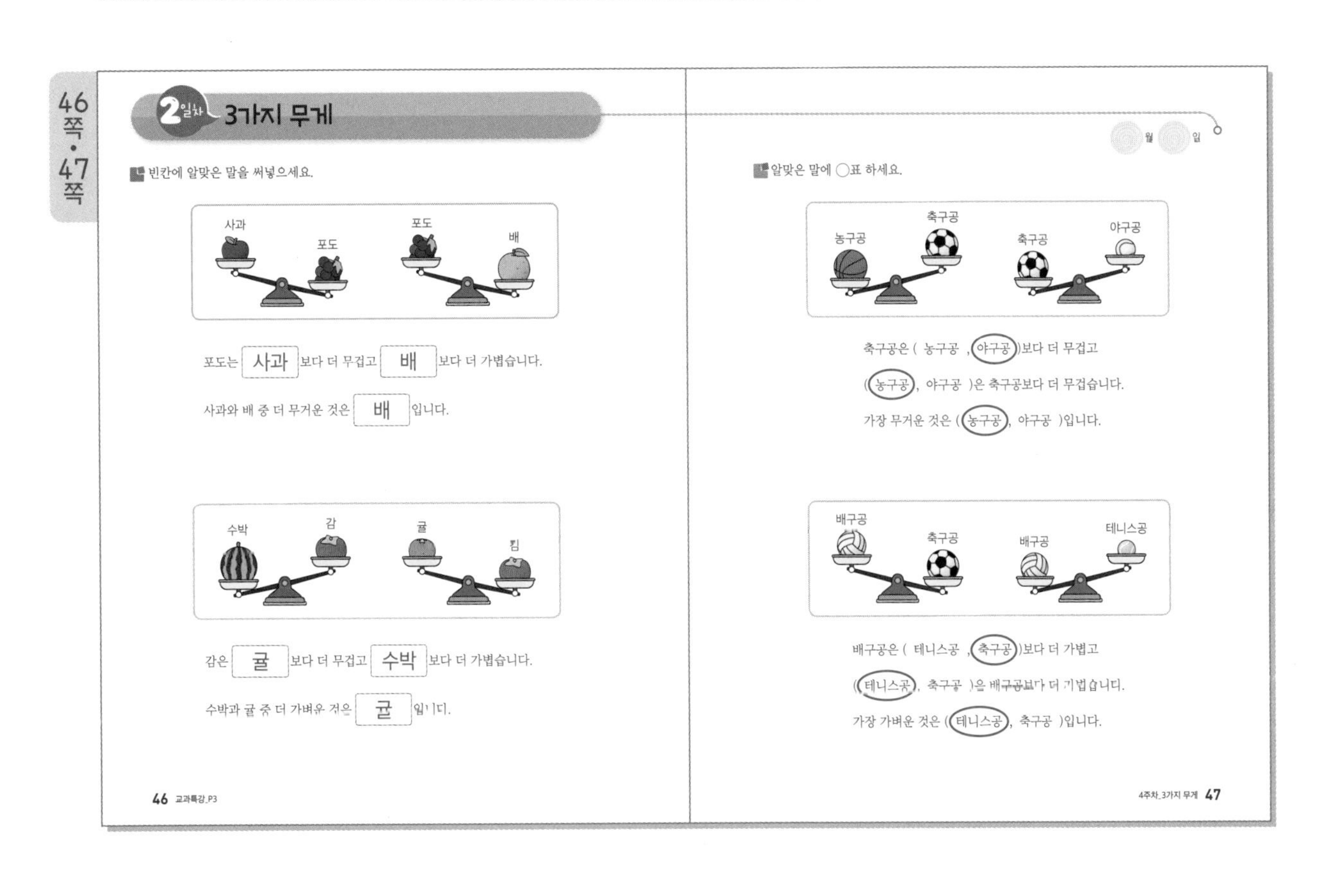

정답

48쪽·49쪽

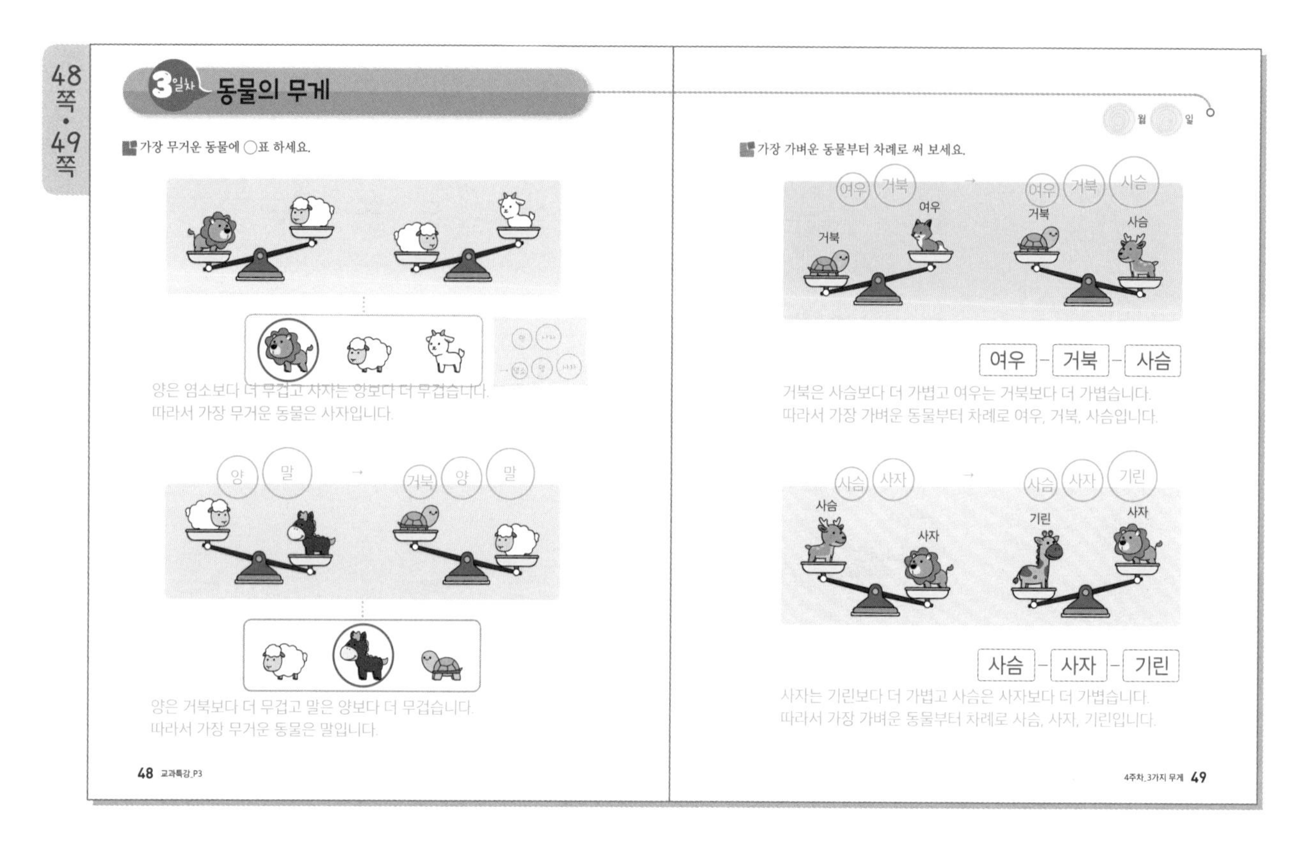

3일차 동물의 무게
가장 무거운 동물에 ○표 하세요.
양은 염소보다 더 무겁고 사자는 양보다 더 무겁습니다.
따라서 가장 무거운 동물은 사자입니다.
양 말 → 거북 양 말
양은 거북보다 더 무겁고 말은 양보다 더 무겁습니다.
따라서 가장 무거운 동물은 말입니다.
48 교과특강_P3
월 일
가장 가벼운 동물부터 차례로 써 보세요.
여우 거북 → 여우 거북 사슴
거북 여우 거북 사슴
여우 - 거북 - 사슴
거북은 사슴보다 더 가볍고 여우는 거북보다 더 가볍습니다.
따라서 가장 가벼운 동물부터 차례로 여우, 거북, 사슴입니다.
사슴 사자 → 사슴 사자 기린
사슴 사자 기린 사자
사슴 - 사자 - 기린
사자는 기린보다 더 가볍고 사슴은 사자보다 더 가볍습니다.
따라서 가장 가벼운 동물부터 차례로 사슴, 사자, 기린입니다.
4주차_3가지 무게 49

50쪽·51쪽

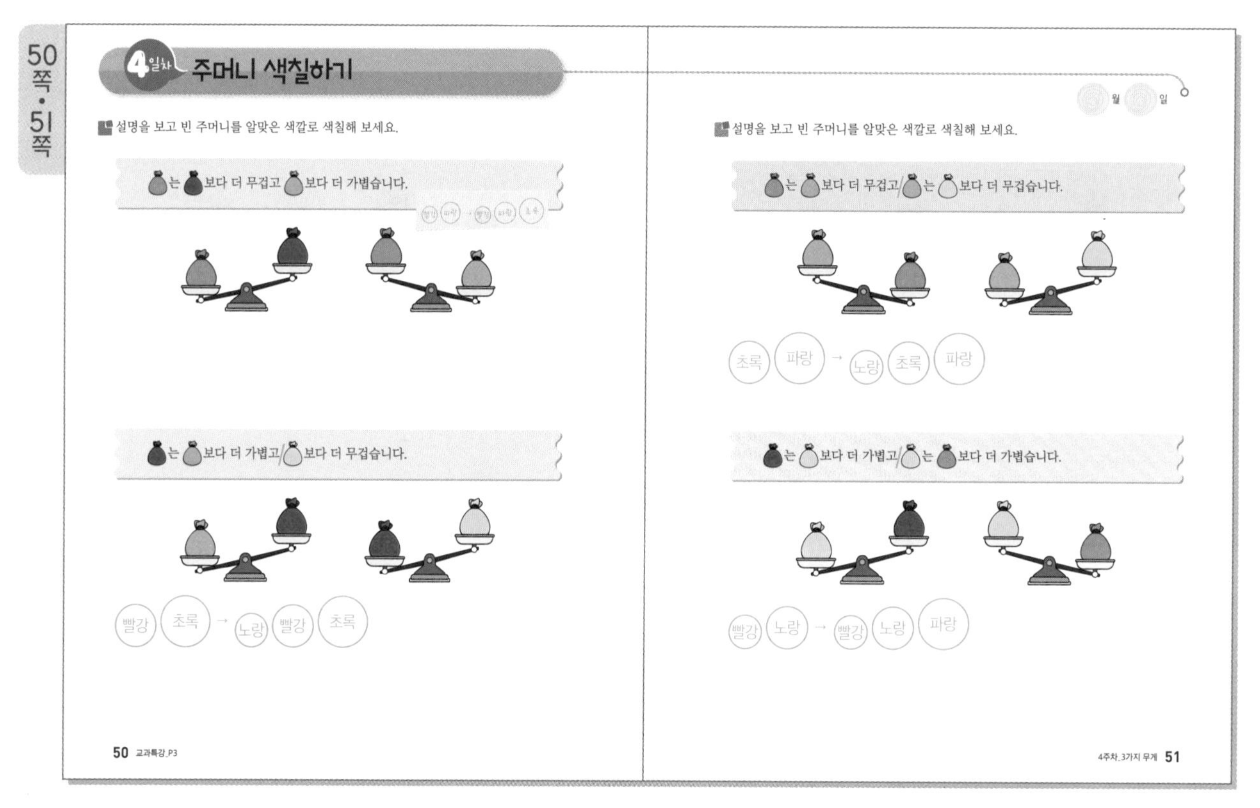

4일차 주머니 색칠하기
설명을 보고 빈 주머니를 알맞은 색깔로 색칠해 보세요.
는 보다 더 무겁고 보다 더 가볍습니다.
는 보다 더 가볍고/ 보다 더 무겁습니다.
빨강 초록 → 노랑 빨강 초록
50 교과특강_P3
월 일
설명을 보고 빈 주머니를 알맞은 색깔로 색칠해 보세요.
는 보다 더 무겁고/ 는 보다 더 무겁습니다.
초록 파랑 → 노랑 초록 파랑
는 보다 더 가볍고/ 는 보다 더 가볍습니다.
빨강 노랑 → 빨강 노랑 파랑
4주차_3가지 무게 51

52쪽·53쪽

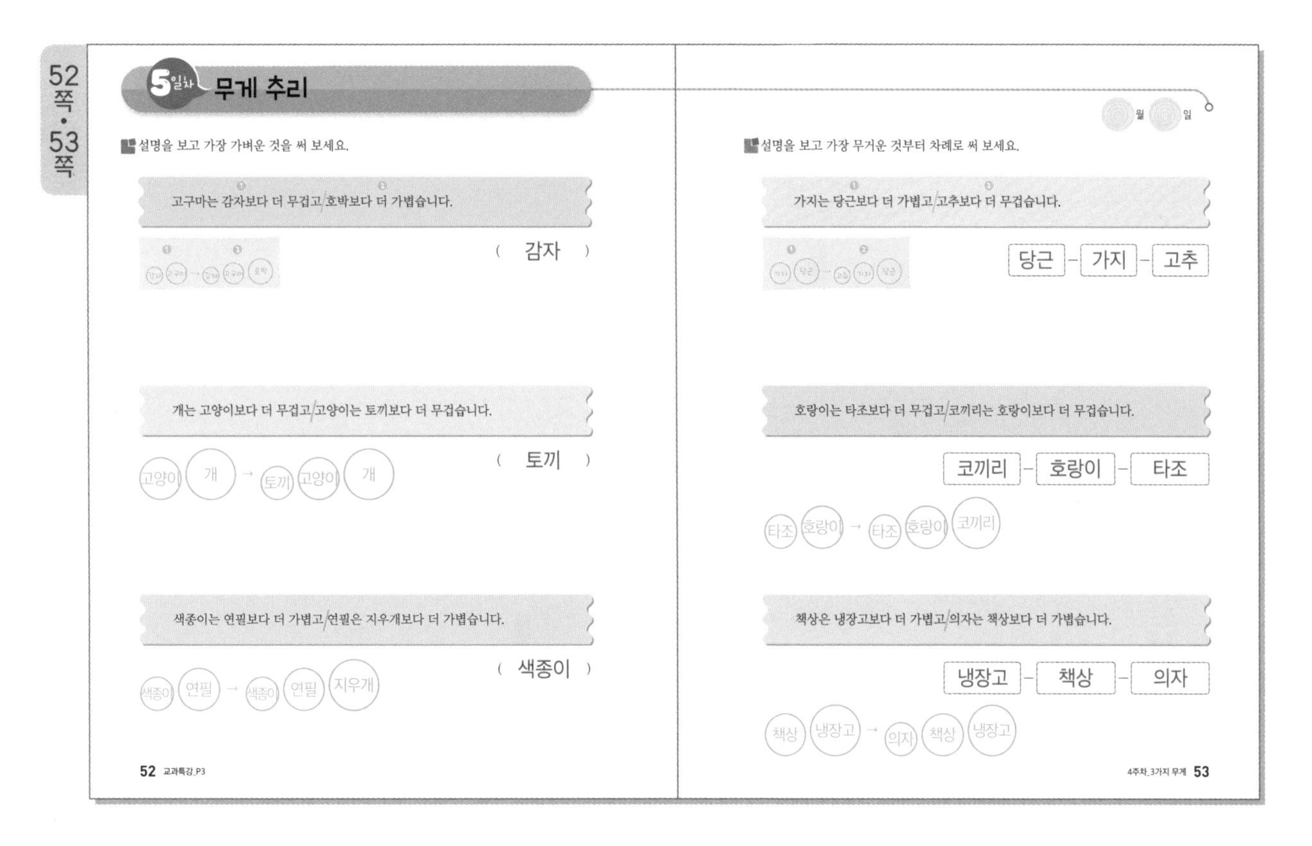

5일차 무게 추리

설명을 보고 가장 가벼운 것을 써 보세요.

고구마는 감자보다 더 무겁고/호박보다 더 가볍습니다.

(감자)

개는 고양이보다 더 무겁고/고양이는 토끼보다 더 무겁습니다.

고양이 개 → 토끼 고양이 개

(토끼)

색종이는 연필보다 더 가볍고/연필은 지우개보다 더 가볍습니다.

색종이 연필 → 색종이 연필 지우개

(색종이)

52 교과특강_P3

월 일

설명을 보고 가장 무거운 것부터 차례로 써 보세요.

가지는 당근보다 더 가볍고/고추보다 더 무겁습니다.

당근 - 가지 - 고추

호랑이는 타조보다 더 무겁고/코끼리는 호랑이보다 더 무겁습니다.

코끼리 - 호랑이 - 타조

타조 호랑이 → 타조 호랑이 코끼리

책상은 냉장고보다 더 가볍고/의자는 책상보다 더 가볍습니다.

냉장고 - 책상 - 의자

책상 냉장고 → 의자 책상 냉장고

4주차_3가지 무게 53

54쪽

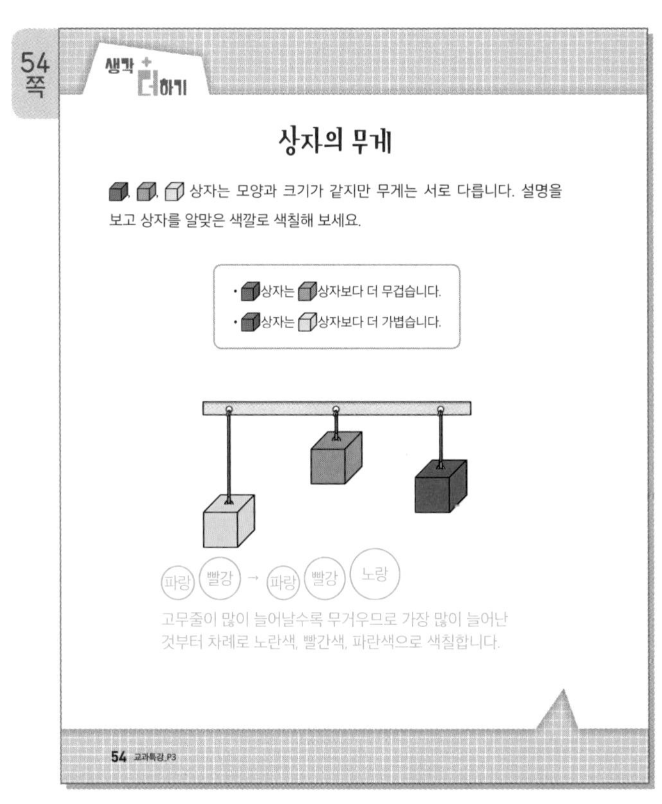

생각 더하기

상자의 무게

상자는 모양과 크기가 같지만 무게는 서로 다릅니다. 설명을 보고 상자를 알맞은 색깔로 색칠해 보세요.

- 상자는 상자보다 더 무겁습니다.
- 상자는 상자보다 더 가볍습니다.

파랑 빨강 → 파랑 빨강 노랑

고무줄이 많이 늘어날수록 무거우므로 가장 많이 늘어난 것부터 차례로 노란색, 빨간색, 파란색으로 색칠합니다.

54 교과특강_P3

정답

링크: 길이가 같은 막대

56쪽 · 57쪽

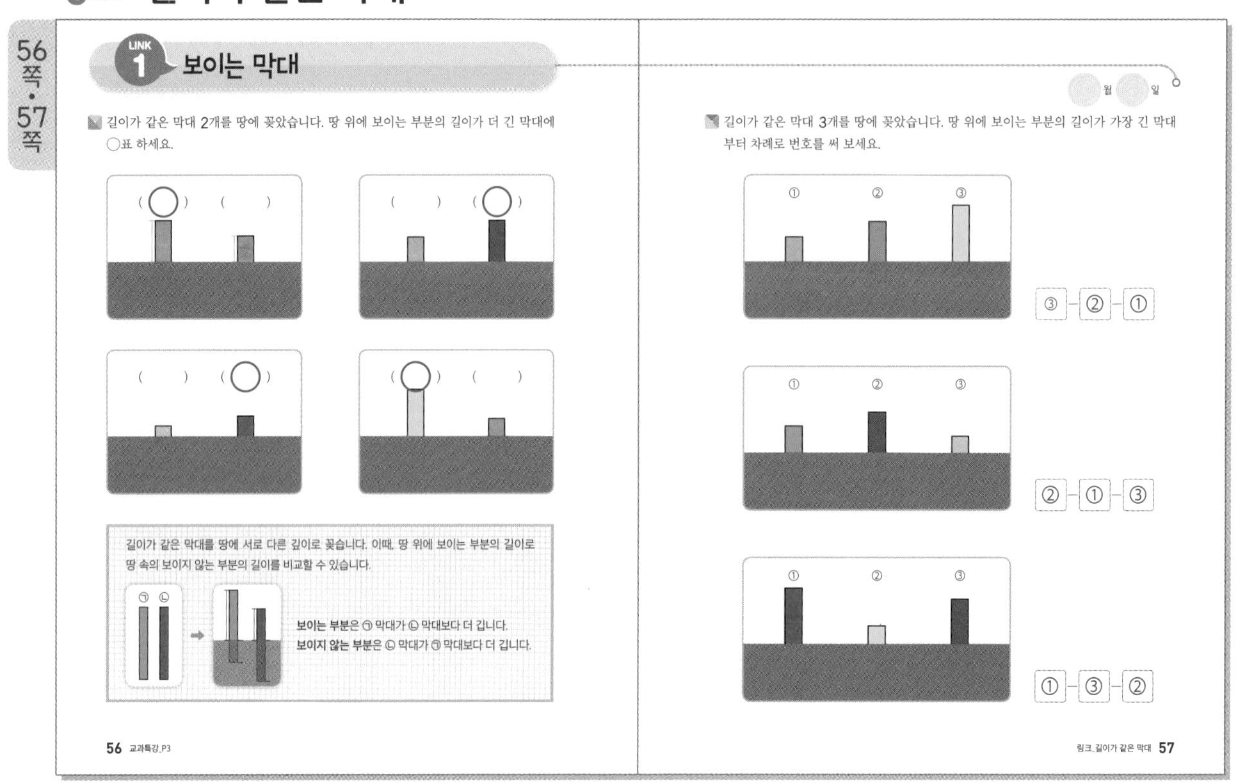

58쪽 · 59쪽

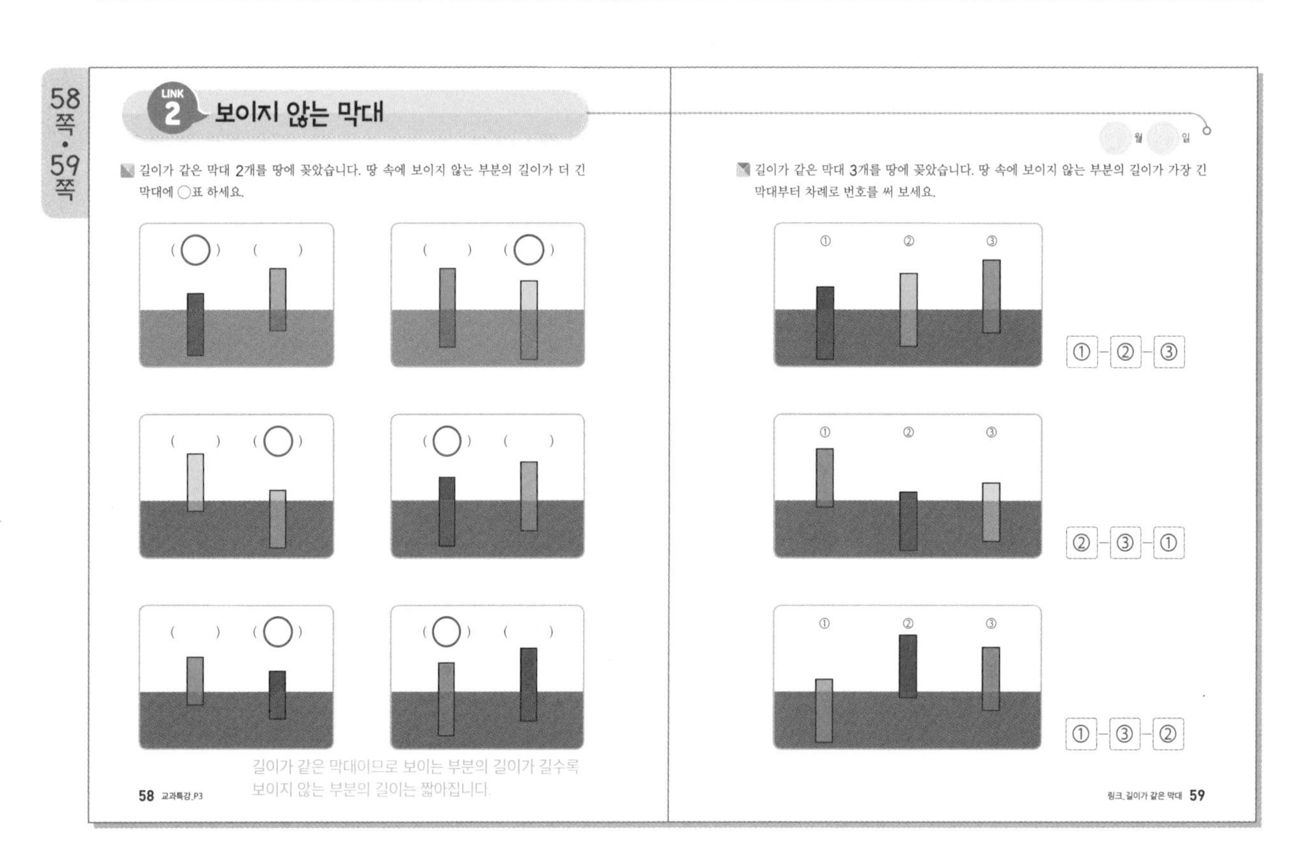

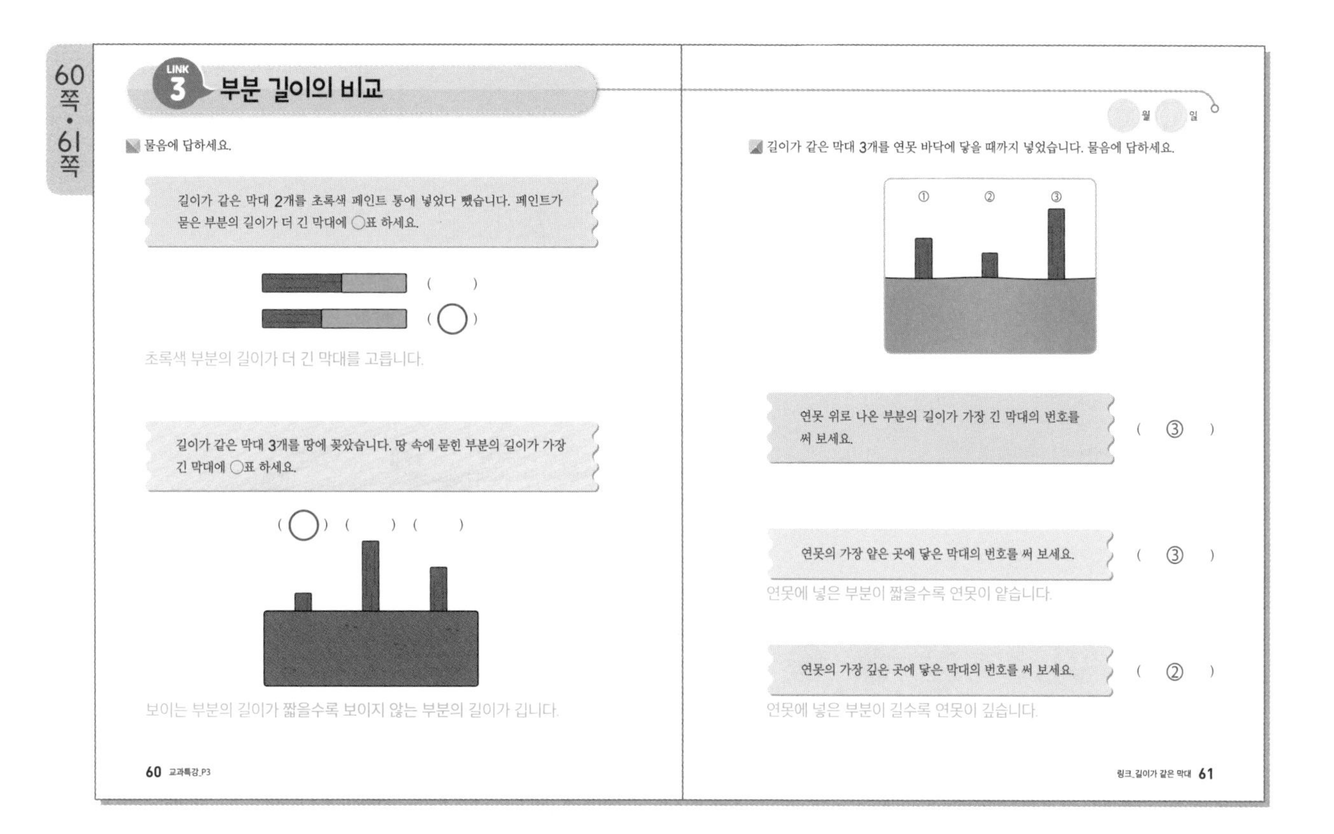
60쪽·61쪽
LINK 3 부분 길이의 비교
물음에 답하세요.
길이가 같은 막대 2개를 초록색 페인트 통에 넣었다 뺐습니다. 페인트가 묻은 부분의 길이가 더 긴 막대에 ○표 하세요.
( )
(○)
초록색 부분의 길이가 더 긴 막대를 고릅니다.
길이가 같은 막대 3개를 땅에 꽂았습니다. 땅 속에 묻힌 부분의 길이가 가장 긴 막대에 ○표 하세요.
(○) ( ) ( )
보이는 부분의 길이가 짧을수록 보이지 않는 부분의 길이가 깁니다.
60 교과특강_P3
월 일
길이가 같은 막대 3개를 연못 바닥에 닿을 때까지 넣었습니다. 물음에 답하세요.
① ② ③
연못 위로 나온 부분의 길이가 가장 긴 막대의 번호를 써 보세요.
(③)
연못의 가장 얕은 곳에 닿은 막대의 번호를 써 보세요.
(③)
연못에 넣은 부분이 짧을수록 연못이 얕습니다.
연못의 가장 깊은 곳에 닿은 막대의 번호를 써 보세요.
(②)
연못에 넣은 부분이 길수록 연못이 깊습니다.
링크_길이가 같은 막대 61

형성평가

64쪽 · 65쪽

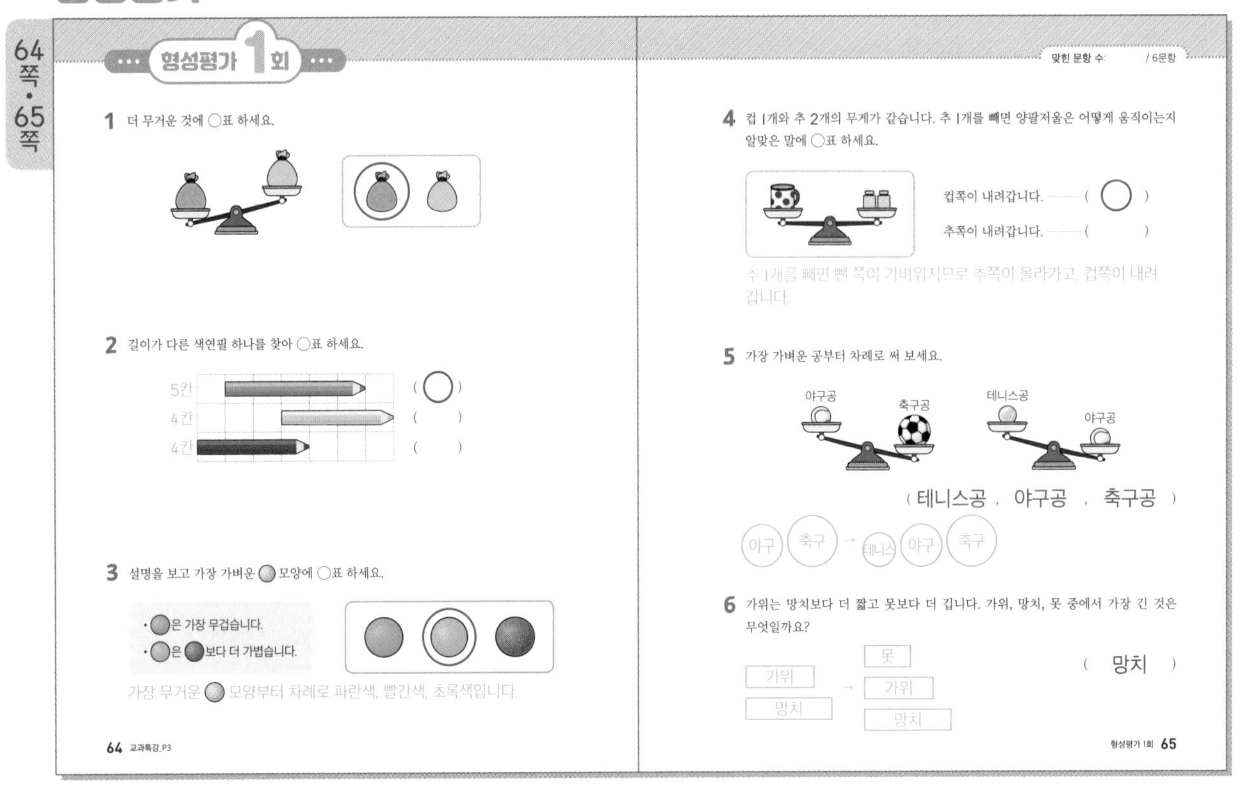

형성평가 1회

맞힌 문항 수: / 6문항

1 더 무거운 것에 ○표 하세요.

2 길이가 다른 색연필 하나를 찾아 ○표 하세요.

5칸 (○)
4칸 ( )
4칸 ( )

3 설명을 보고 가장 가벼운 ● 모양에 ○표 하세요.

• ●은 가장 무겁습니다.
• ●은 ●보다 더 가볍습니다.

가장 무거운 ● 모양부터 차례로 파란색, 빨간색, 초록색입니다.

4 컵 1개와 추 2개의 무게가 같습니다. 추 1개를 빼면 양팔저울은 어떻게 움직이는지 알맞은 말에 ○표 하세요.

컵쪽이 내려갑니다. (○)
추쪽이 내려갑니다. ( )

추 1개를 빼면 뺀 쪽이 가벼워지므로 추쪽이 올라가고, 컵쪽이 내려갑니다.

5 가장 가벼운 공부터 차례로 써 보세요.

(테니스공 , 야구공 , 축구공)

야구 축구 → 테니스 야구 축구

6 가위는 망치보다 더 짧고 못보다 더 깁니다. 가위, 망치, 못 중에서 가장 긴 것은 무엇일까요?

(망치)

가위 망치 → 못 가위 망치

66쪽 · 67쪽

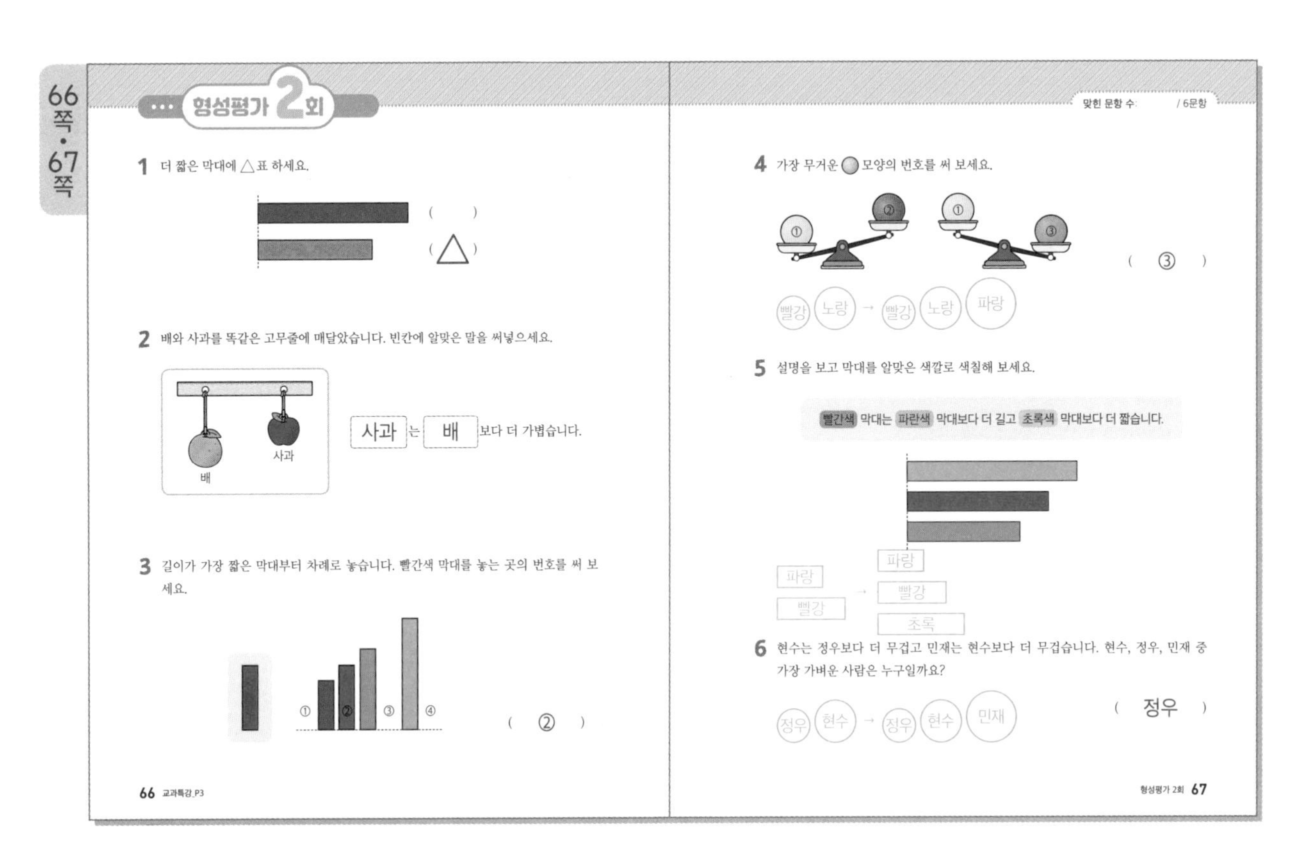

형성평가 2회

맞힌 문항 수: / 6문항

1 더 짧은 막대에 △표 하세요.

( )
(△)

2 배와 사과를 똑같은 고무줄에 매달았습니다. 빈칸에 알맞은 말을 써넣으세요.

사과 는 배 보다 더 가볍습니다.

3 길이가 가장 짧은 막대부터 차례로 놓습니다. 빨간색 막대를 놓는 곳의 번호를 써 보세요.

(②)

4 가장 무거운 ● 모양의 번호를 써 보세요.

(③)

빨강 노랑 → 빨강 노랑 파랑

5 설명을 보고 막대를 알맞은 색깔로 색칠해 보세요.

빨간색 막대는 파란색 막대보다 더 길고 초록색 막대보다 더 짧습니다.

파랑 빨강 → 파랑 빨강 초록

6 현수는 정우보다 더 무겁고 민재는 현수보다 더 무겁습니다. 현수, 정우, 민재 중 가장 가벼운 사람은 누구일까요?

(정우)

정우 현수 → 정우 현수 민재

초등 수학 핵심파트 집중 완성 교과특강

"교과수학을 완성합니다."

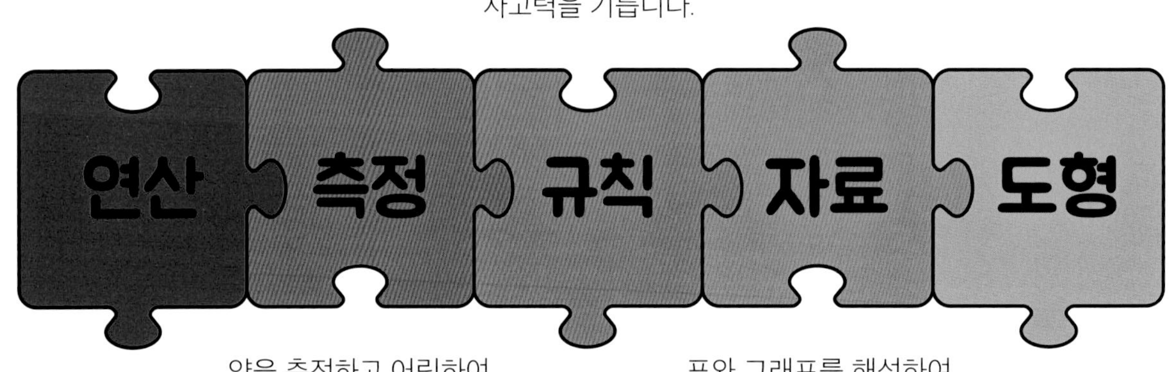

수와 도형의 배열에서 규칙을 찾아
사고력을 기릅니다.
연산
측정
규칙
자료
도형
양을 측정하고 어림하여
실생활의 수 감각을 기릅니다.
표와 그래프를 해석하여
추론능력을 기릅니다.